다양한 활동으로 재미있게 수와 셈 익히기

세면서 말하는 활동, 붙임딱지를 붙이거나 색칠하는 활동, 점을 연결하여 그림을 완성하는 활동, 선으로 연결하는 활동 등 다양한 활동을 통해 감각적으로 재미있게 수 개념을 익히고, 쉽게 셈을 쉽게 익힐 수 있습니다.

친절한 설명으로 쉽게 수 연산 익히기

아이들이 경험할 수 있는 활동을 통해 자연스럽게 덧셈과 뺄셈이라는 셈 개념과 +, − 기호를 접할 수 있게 해 주세요. 선생님의 친절한 설명으로 쉽게 수 연산을 익힐 수 있습니다.

선생님과 함께 세고, 쓰고, 말하면서 수 감각 익히기

혼자하기 심심하다면, 책에 있는 그림을 커다란 화면으로 만나게 해 주세요. 선생님의 재미있는 설명을 보면서 따라 하다 보면 어느새 1부터 100까지의 수의 개념을 익힐 수 있습니다.

초능력 쌤과 키우자, 공부힘!

첫걸음 수와 셈

- 전 문항 활동 수업 동영상으로 쉽게 이해
- 7가지 활동으로 수 감각 향상

첫걸음 한글

- 자모음자의 소리를 생생하게 이해
- 한글 결합 원리와 통 문자를 동시에 학습

첫걸음 한글 쓰기

- 받침 없는 글자를 쓰며 쓰기의 기초 다지기
- 글자의 짜임에 따라 글자 쓰는 방법 학습
- 주제별 낱말을 따라 쓰며 어휘력 향상

6세 초능력 **무료 스마트러닝** 접속 방법

방법 1

교재 표지나 본문에 있는
QR 코드를 찍어
무료 동영상을 보세요.

방법 2

동아출판 홈페이지
www.bookdonga.com에
접속하여 보세요.

의 수학책

1 월 일	2 월 일	21 월 일	22 월 일
3 월 일	4 월 일	23 월 일	24 월 일
5 월 일	6 월 일	25 월 일	26 월 일
7 월 일	8 월 일	27 월 일	28 월 일
9 월 일	10 월 일	29 월 일	30 월 일
11 월 일	12 월 일	31 월 일	32 월 일
13 월 일	14 월 일	33 월 일	34 월 일
15 월 일	16 월 일	35 월 일	36 월 일
17 월 일	18 월 일	37 월 일	38 월 일
19 월 일	20 월 일	39 월 일	40 월 일
		41 월 일	

이렇게 하세요.

1 2월 1일

공부한 날짜를 쓰고, 색칠하세요.

※ 모양 따라 오린 후 반으로 접어서 책갈피로 활용하세요!

붙임딱지❶ 8쪽

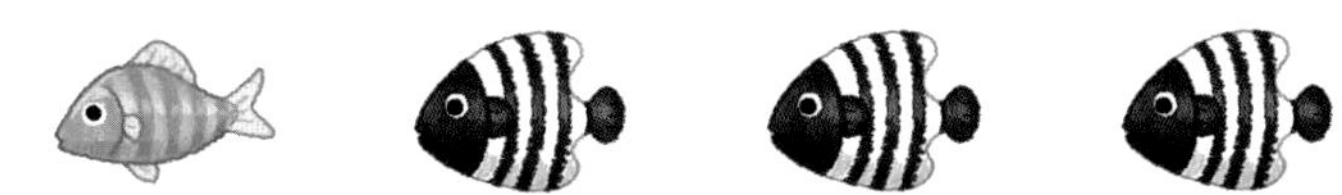

붙임딱지❷ 12쪽

  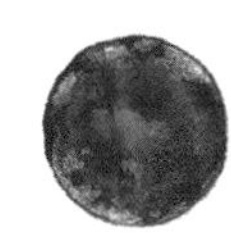     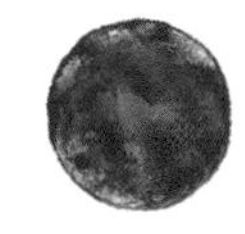 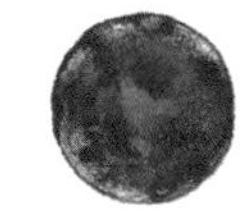

붙임딱지❸ 36쪽

붙임딱지❹ 40쪽

붙임딱지❺ 41쪽

 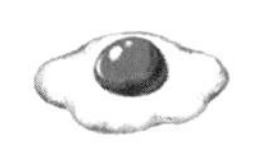 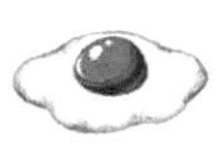      

     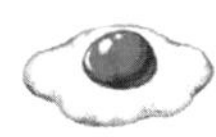  

붙임딱지⑥ 73쪽

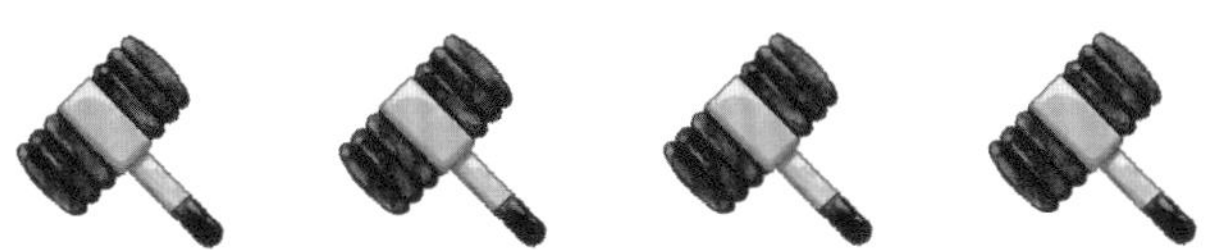

붙임딱지⑦ 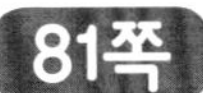

붙임딱지⑧ 96쪽

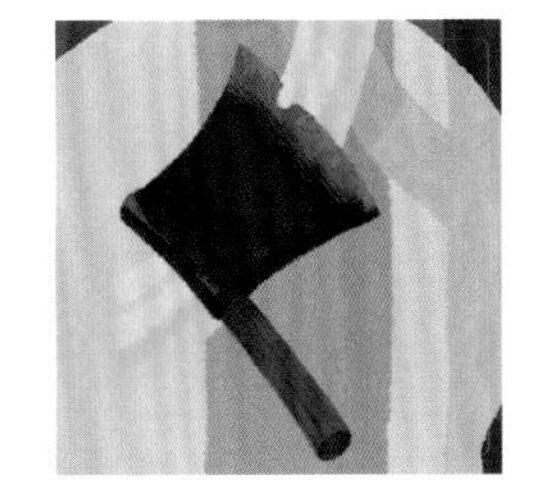
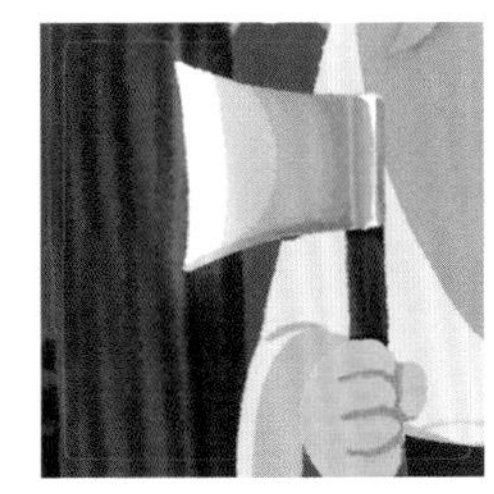
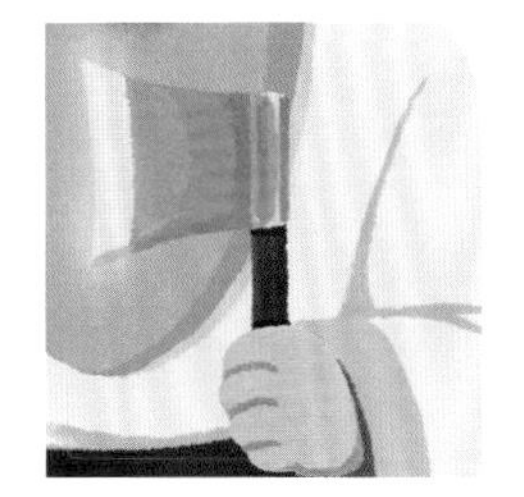

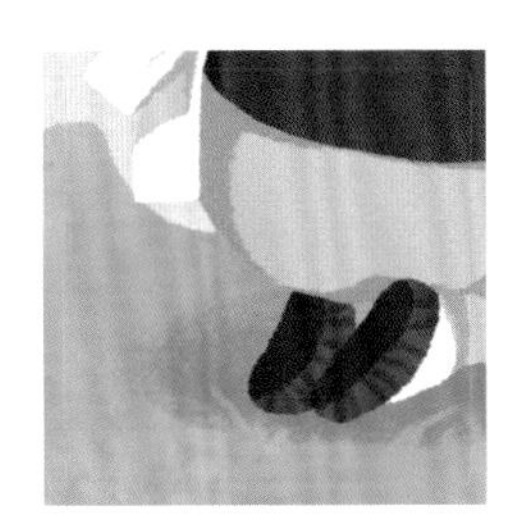

자유롭게 붙이세요

첫걸음 수와 셈

2단계

6세

그림과 다양한 활동으로
수를 익히는
수 감각 학습

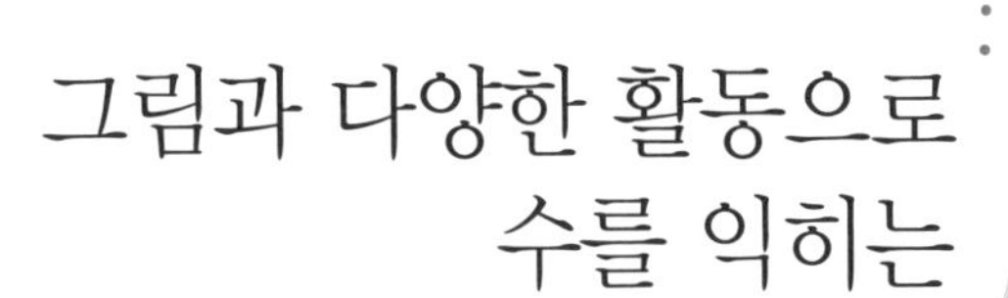

1단계
수 감각 프로그램

1 과정
10까지의 수
1~10의 수를 그림과 다양한 활동으로 자연스럽게 익힙니다.

2 과정
20까지의 수
1과정에서 익힌 감각으로 11부터 20까지의 수를 자연스럽게 확장하여 익힙니다.

3 과정
50까지의 수
1~20의 수를 익힌 감각에 더해 큰 수로 넓혀 갑니다. 10, 20, 30, 40, 50과 21부터 49까지의 수를 다양한 활동으로 익힙니다.

4 과정
100까지의 수
1~50의 수가 익숙해진 상태에서 51부터 100까지의 수를 자연스럽게 익힙니다.

1부터 20까지의 수에서
셈을 익히는
수 연산 학습
2단계
수 연산 프로그램
1 과정
5까지의 셈
5까지의 수에서 그림과 다양한 활동으로 덧셈과 뺄셈의 개념을 익힙니다.
2 과정
10까지의 셈
10까지의 수에서 덧셈과 뺄셈을 +, − 기호와 함께 익힙니다.
3 과정
15까지의 셈
15까지의 수에서 숫자와 기호로 표현된 덧셈식과 뺄셈식의 계산을 익힙니다.
4 과정
20까지의 셈
20까지의 수에서 다양한 활동으로 수 연산을 익힙니다.

6세 초능력 첫걸음 수와 셈 | 구성과 활용법

활동 수업 동영상과 함께하는 주제별 전 문항 활동 수업!

주제별 활동 학습

1~4과정으로 나누어 각 주제별 2쪽으로 총 41개의 주제를 통해 20까지의 셈을 익힐 수 있어요.

수 모으기
그림을 모아서 수를 세는 연습을 해요.

수 가르기
그림을 갈라서 수를 세는 연습을 해요.

기호가 없는 덧셈·뺄셈
그림을 이용하여 뛰어 세거나 거꾸로 뛰어 세기를 하고, 전체와 남는 것을 구해요.

기호가 있는 덧셈·뺄셈
+, − 기호를 알고, 더하기와 빼기 연습을 통해 덧셈식과 뺄셈식을 완성해요.

활동 수업

10 그림을 보고 덧셈하기

곤충의 수로 덧셈을 해요

+ = 2

+ =

+ =

+ =

26

활동 수업 동영상

무료 스마트러닝 영상으로 모든 문제를 선생님과 함께 공부해요.

수 감각을 이용하여 수 연산을 배워요!

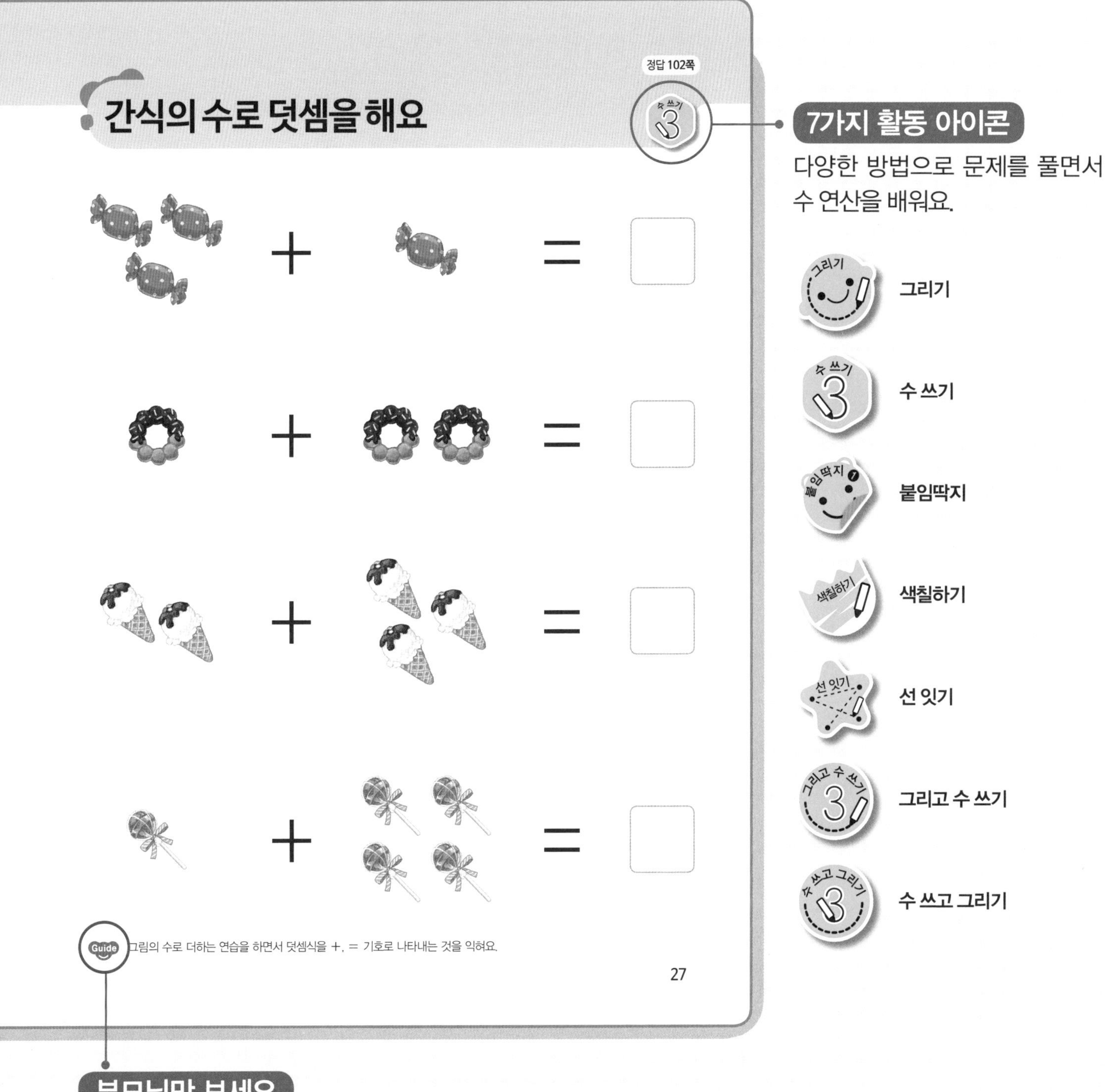

정답 102쪽
간식의 수로 덧셈을 해요
수 쓰기
그림의 수로 더하는 연습을 하면서 덧셈식을 +, = 기호로 나타내는 것을 익혀요.
27

7가지 활동 아이콘

다양한 방법으로 문제를 풀면서 수 연산을 배워요.

- 그리기
- 수 쓰기
- 붙임딱지
- 색칠하기
- 선 잇기
- 그리고 수 쓰기
- 수 쓰고 그리기

부모님만 보세요

아이와 함께 학습할 때 필요한 도움말과 주의할 점을 알려줘요.

6세 초능력 첫걸음 수와 셈 | 차례

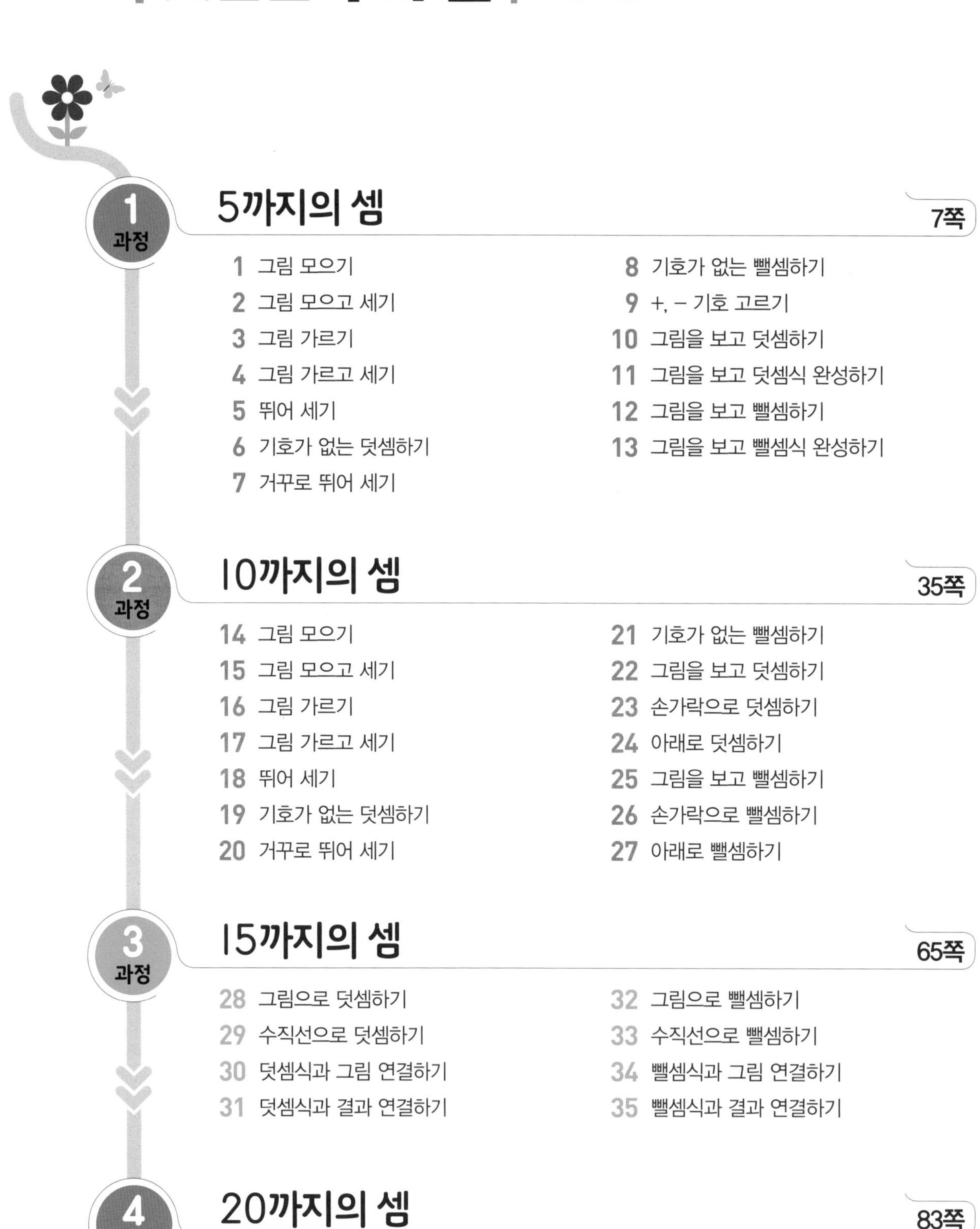

1 과정

5까지의 셈

1. 그림 모으기
2. 그림 모으고 세기
3. 그림 가르기
4. 그림 가르고 세기
5. 뛰어 세기
6. 기호가 없는 덧셈하기
7. 거꾸로 뛰어 세기
8. 기호가 없는 뺄셈하기
9. +, − 기호 고르기
10. 그림을 보고 덧셈하기
11. 그림을 보고 덧셈식 완성하기
12. 그림을 보고 뺄셈하기
13. 그림을 보고 뺄셈식 완성하기

1 그림 모으기

물고기를 모아 붙임딱지를 붙여요

정답 98쪽

트리 장식을 모아 색칠해요

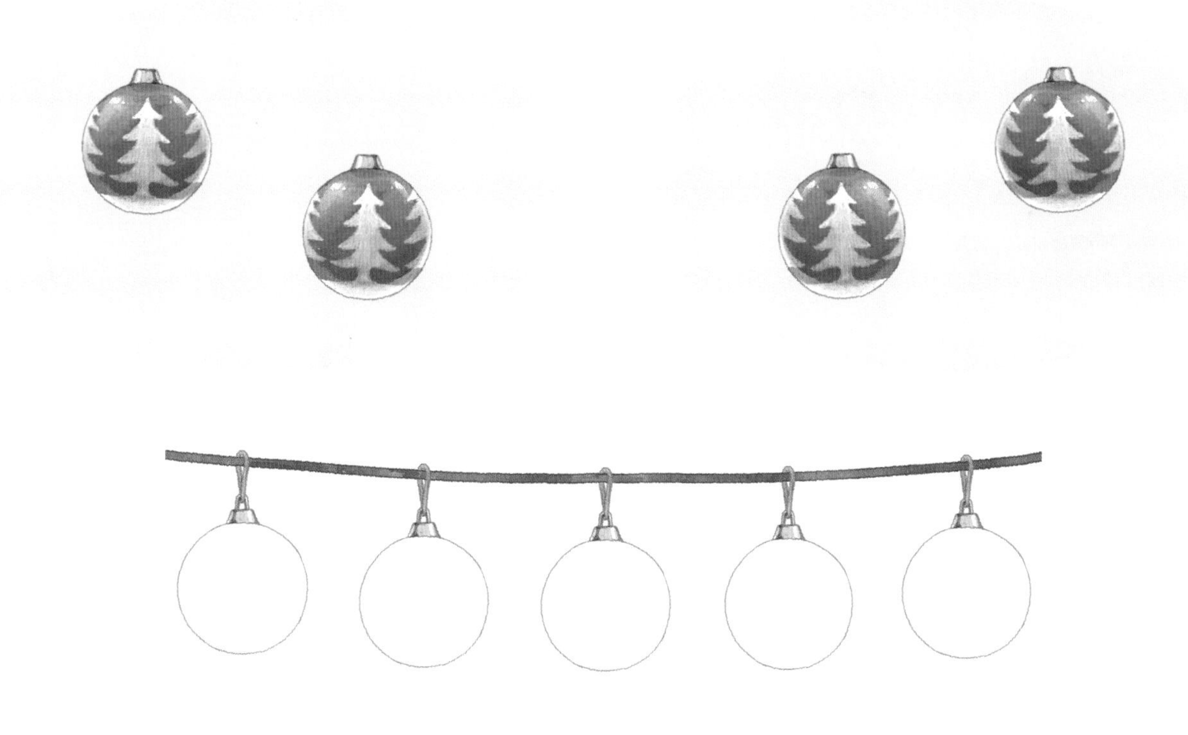

두 그림의 수만큼 모으면 얼마인지 하나–둘–셋–넷–다섯 세면서 붙임딱지를 붙이거나 색칠하세요.

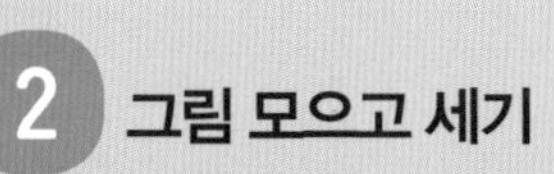

젤리를 모으고 수를 세요

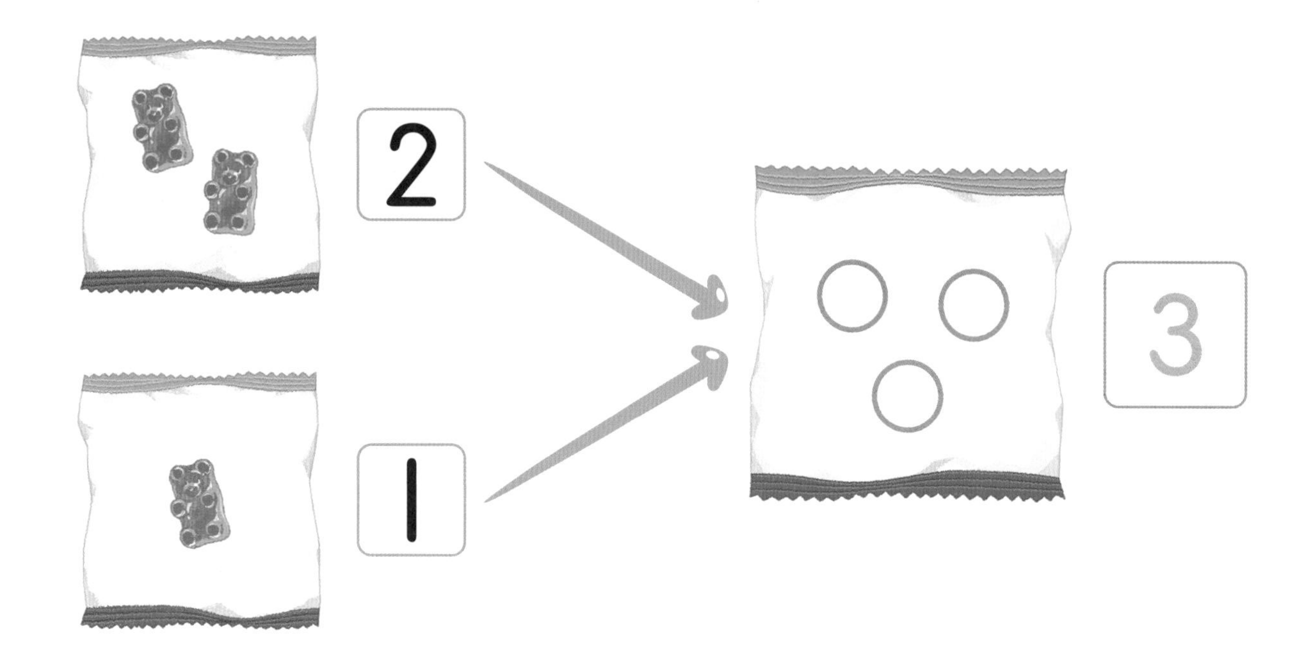

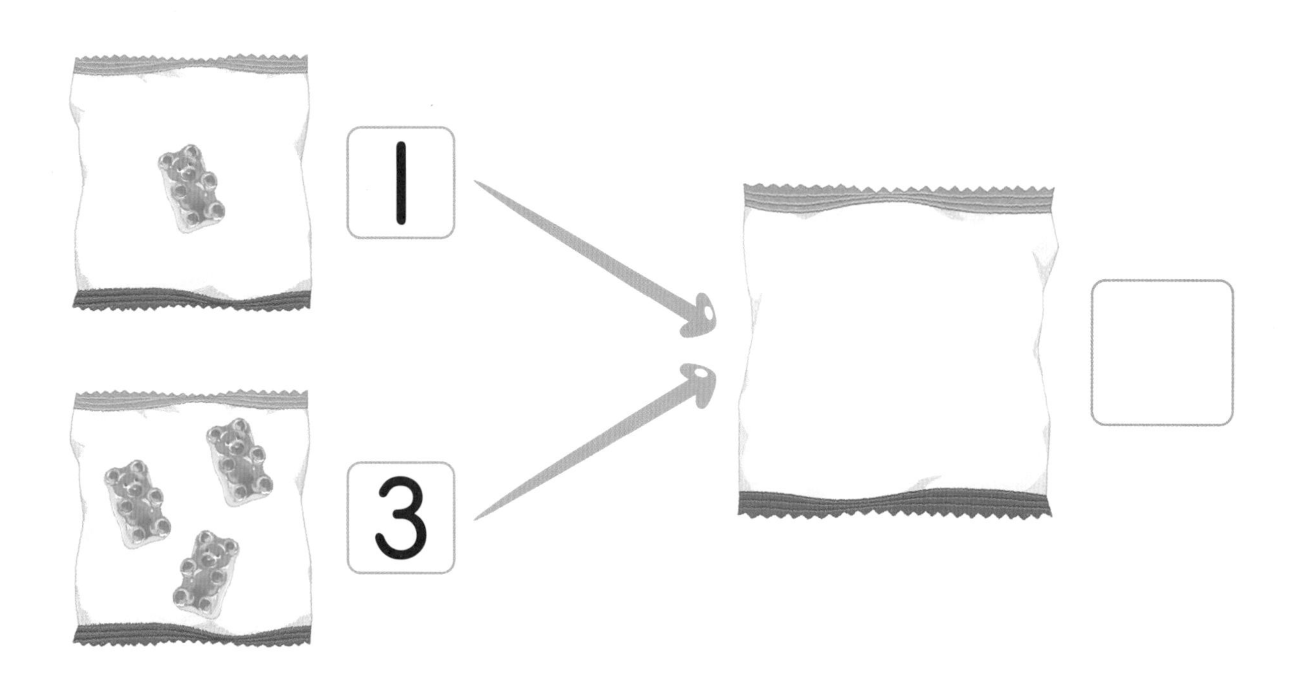

정답 98쪽

젤리를 모으고 수를 세요

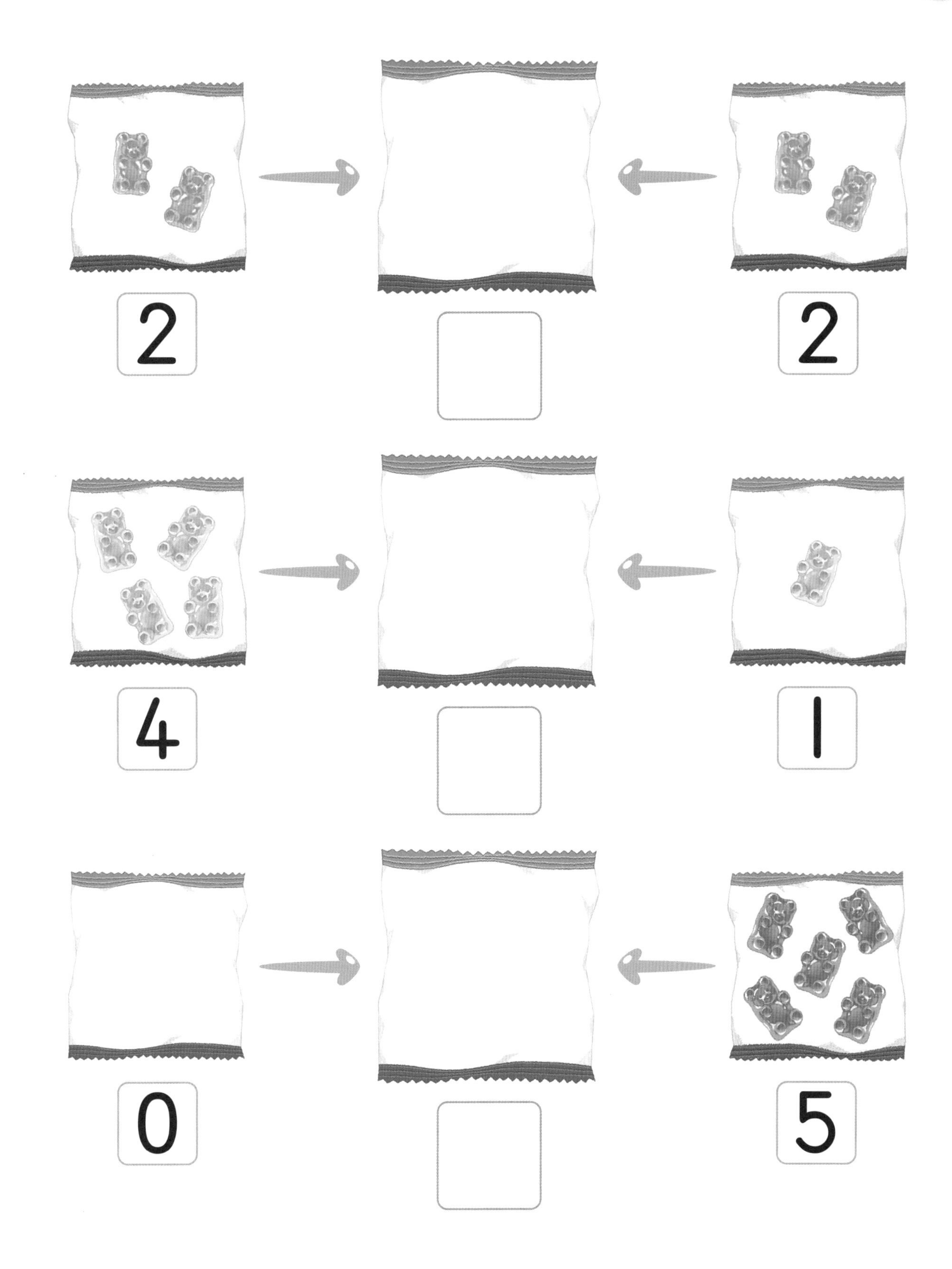

두 그림의 수만큼 모으면 몇 개인지 ○를 그리며 알아보고 수로 써요.
그림을 이용하여 수 모으기에 익숙해지는 연습을 하세요.

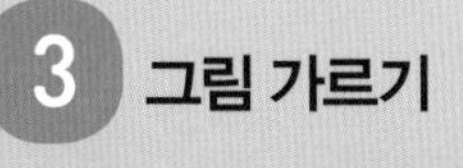

3 그림 가르기

햄 5개를 두 곳에 나눠요

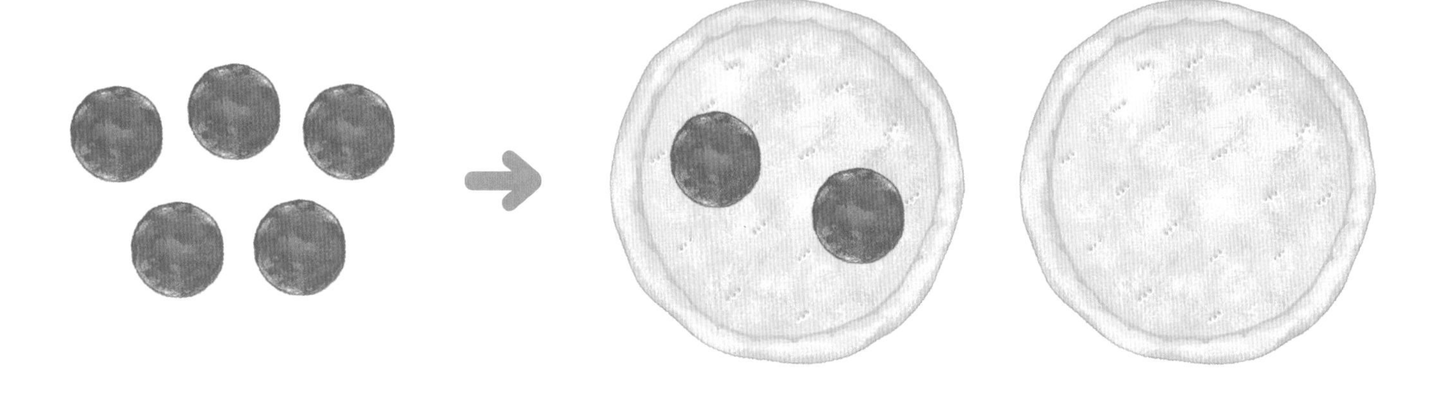

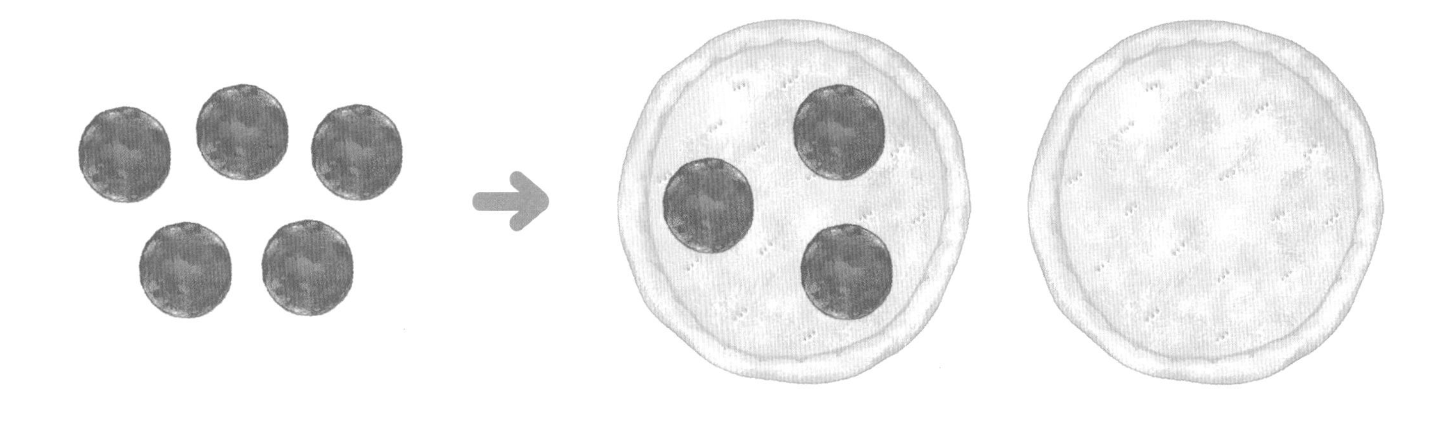

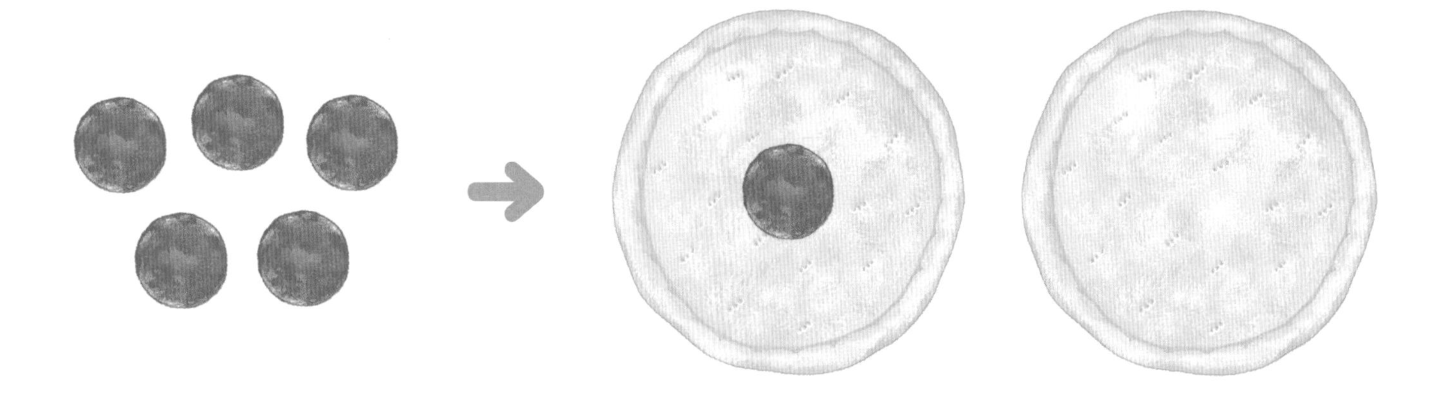

정답 99쪽

햄버거 5개가 나눠지도록 연결해요

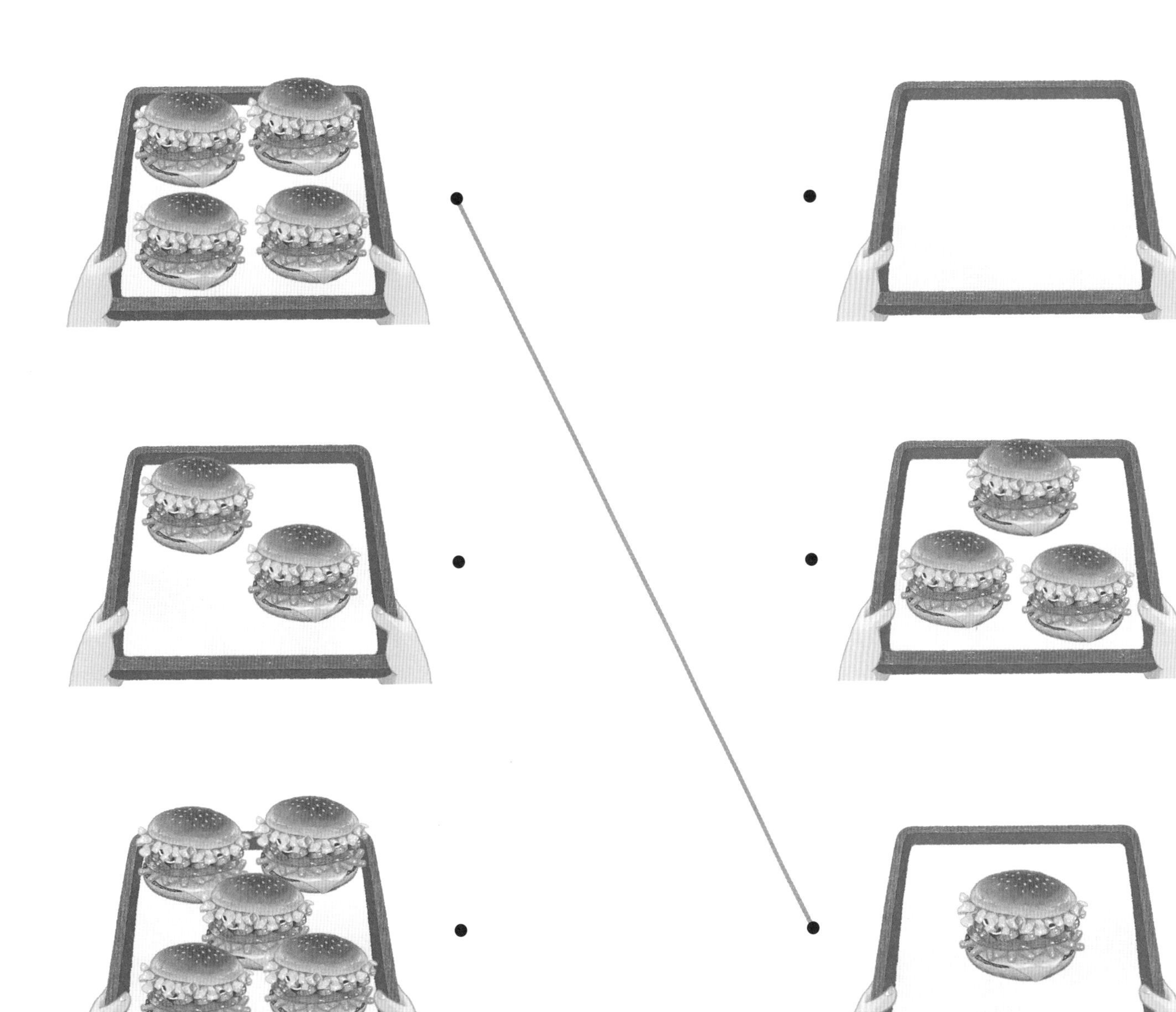

그림 5개를 나누어 보면서 5를 1과 4, 2와 3, 3과 2 등 여러 가지 방법으로 가르는 연습을 하세요.

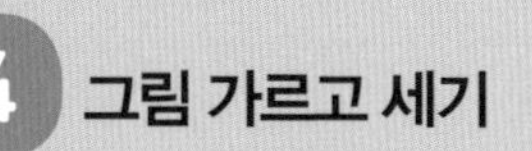

과일을 나누고 수를 세요

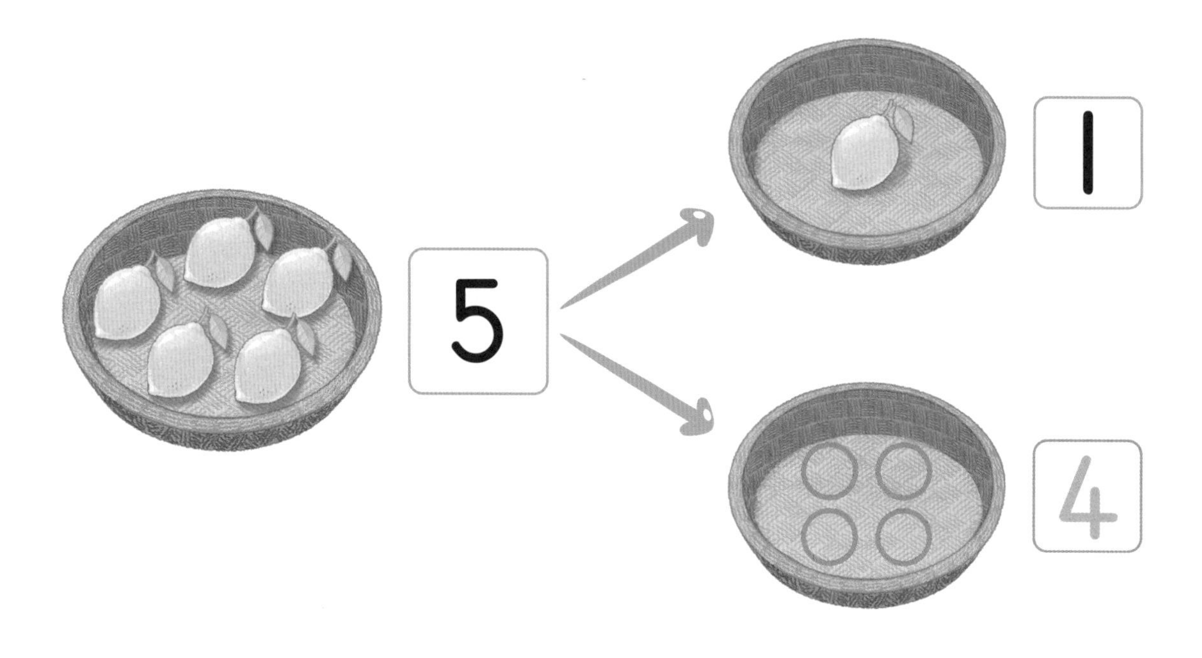

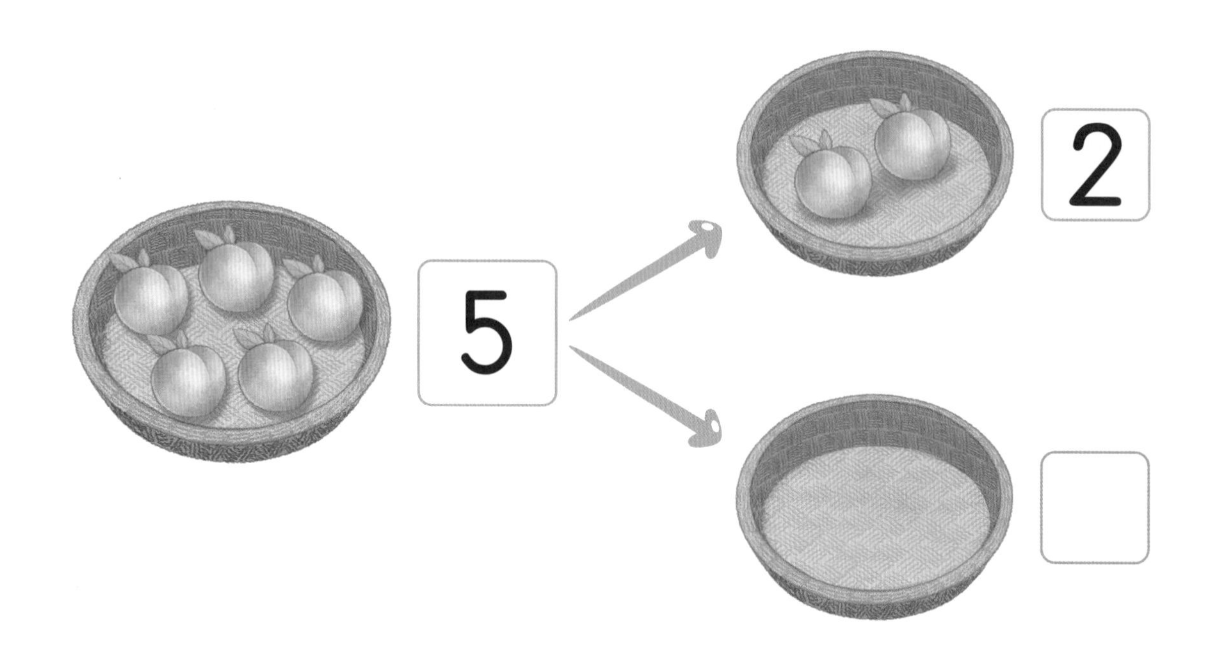

정답 99쪽

과일을 나누고 수를 세요

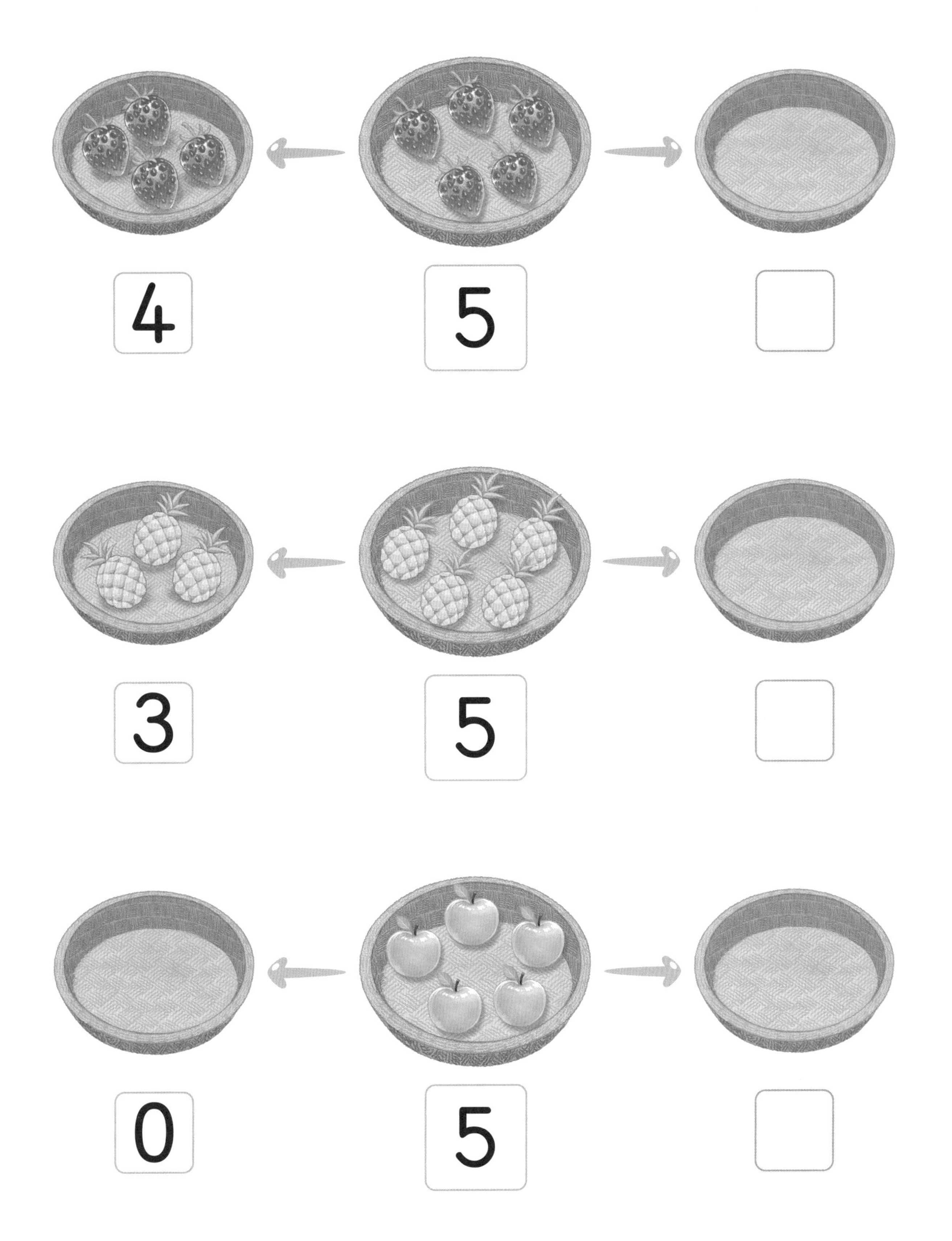

그림 5개를 어떻게 가를 수 있는지 ○를 그리며 알아보고 수로 써요.
그림을 이용하여 수 가르기에 익숙해지도록 연습을 하세요.

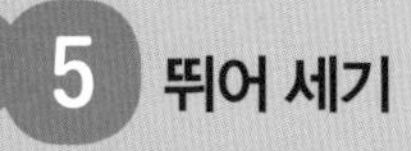

산타가 도착한 수를 알아봐요

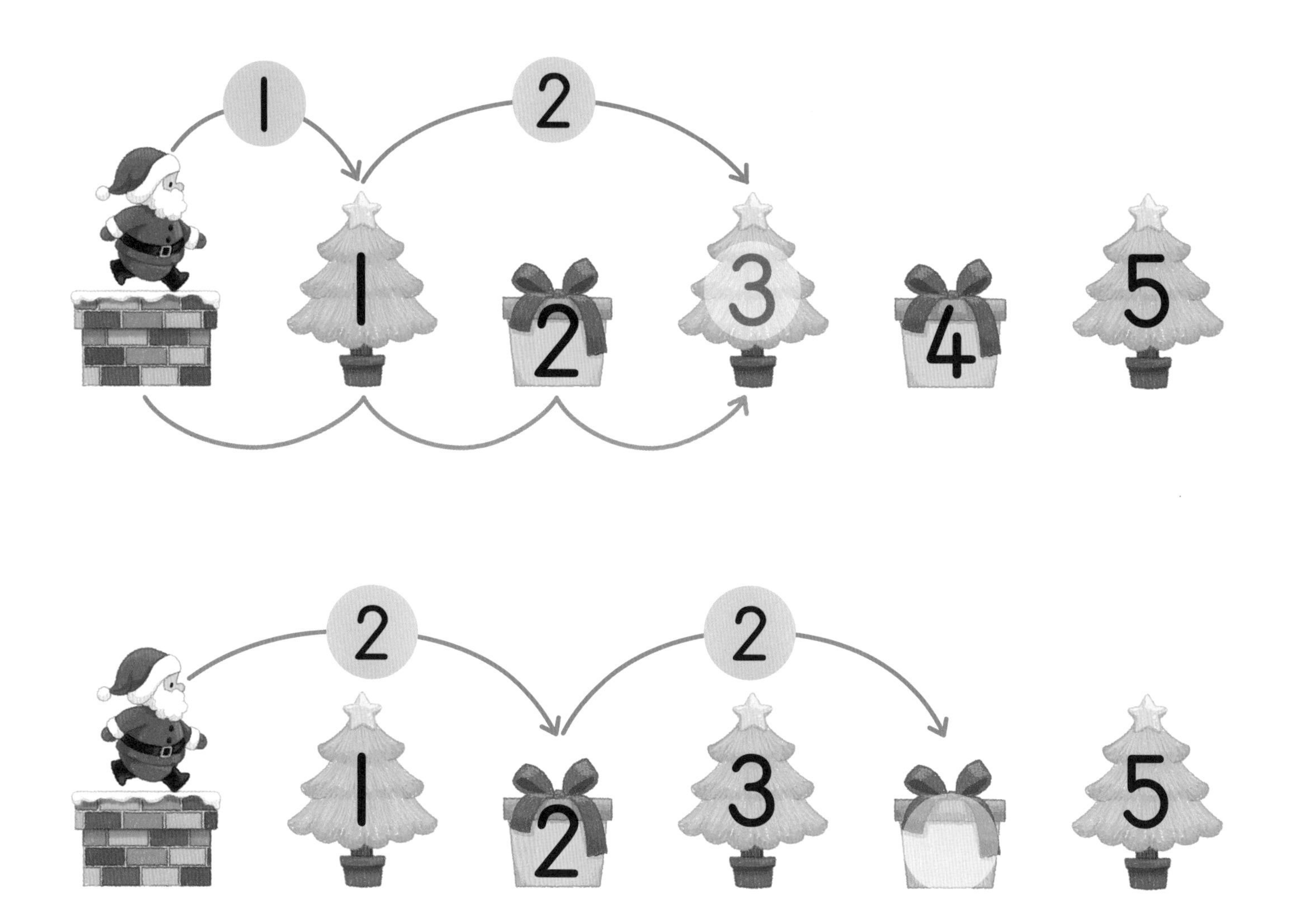

정답 100쪽

루돌프가 도착한 수를 알아봐요

두 번 뛰어 세어 도착한 수가 얼마인지 화살표로 표시하면서 알아보세요.

모두 앉으면 몇 명인지 구해요

4 명

명

명

명

정답 100쪽

모두 들어오면 몇 명인지 구해요

□ 명

□ 명

□ 명

□ 명

탁자나 수영장에 사람이 추가되는 덧셈 상황이에요. 탁자에 5명이 있었는데 아무도 오지 않으면 그대로 5명이고, 물 안에 아무도 없었는데 2명이 더 들어오면 모두 2명이 된다고 알려주세요.

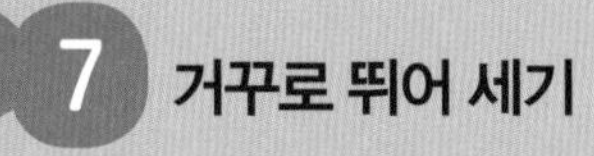

7 거꾸로 뛰어 세기

토끼가 도착한 수를 알아봐요

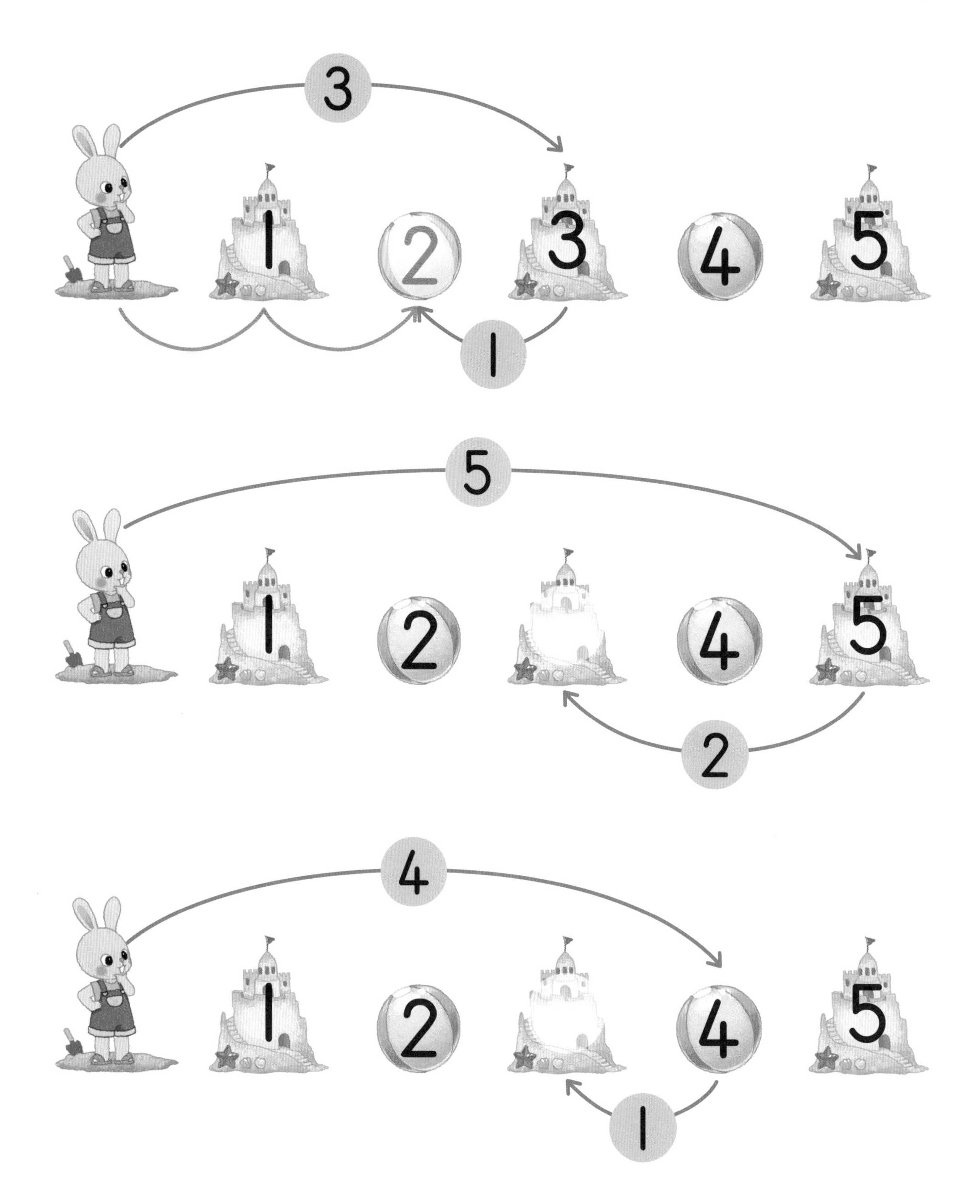

정답 101쪽

개구리가 도착한 수를 알아봐요

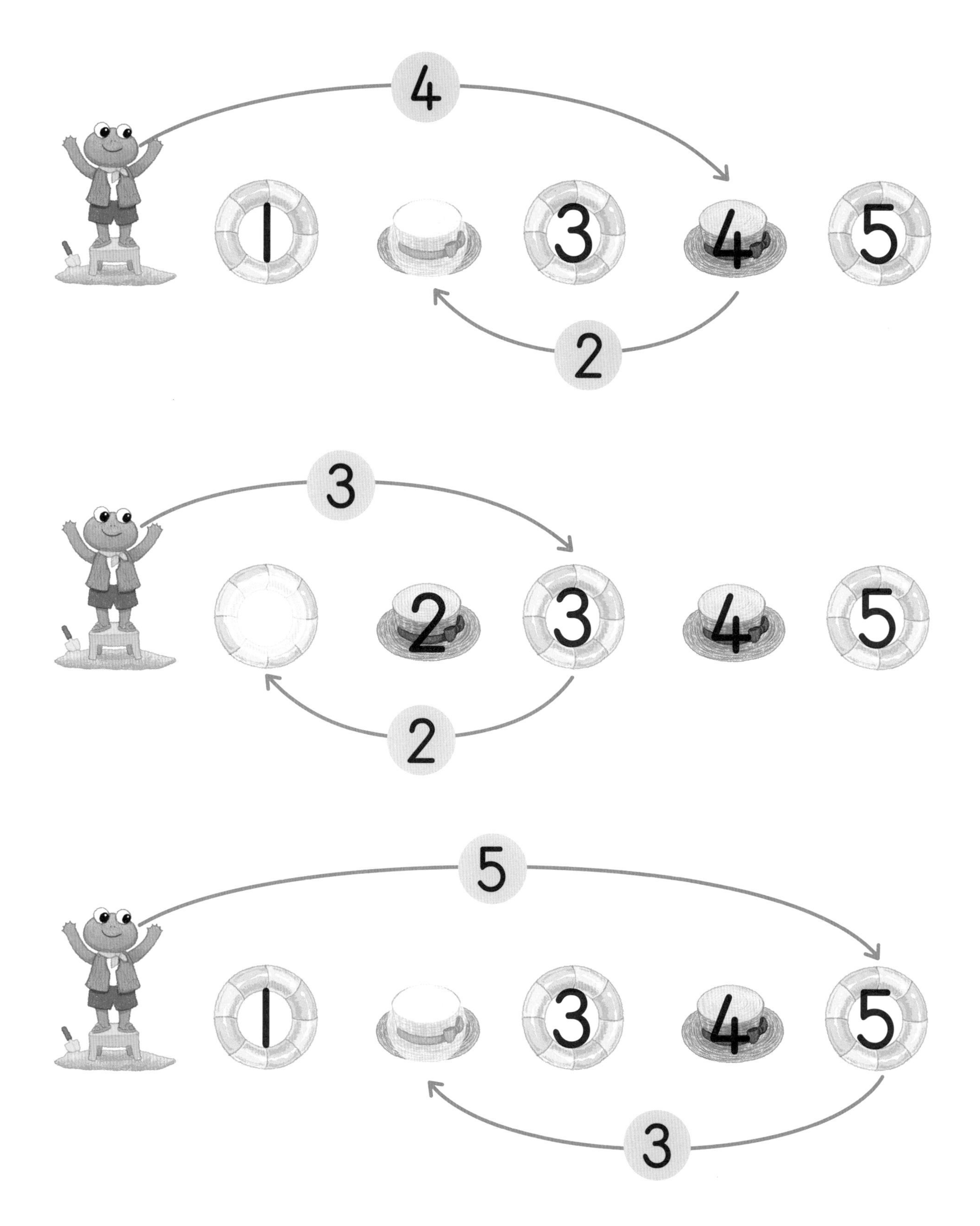

앞으로 뛰었다가 다시 거꾸로 뛰어 세었을 때 도착한 수가 얼마인지 화살표로 표시하면서 알아보세요.

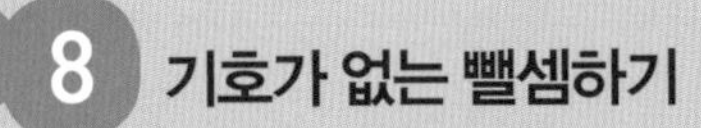

8 기호가 없는 뺄셈하기

뽑고 남은 마늘의 수를 구해요

3 개

개

개

개

정답 101쪽

따고 남은 사과의 수를 구해요

마늘을 뽑거나 사과를 따는 뺄셈 상황이에요.
마늘 2개가 있었는데 2개를 모두 뽑으면 남는 것이 없고 0개로 나타낸다고 알려주세요.

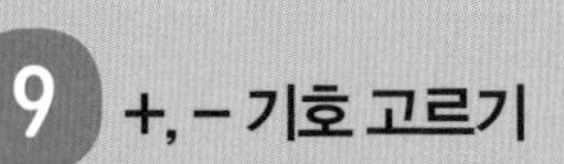

9 +, − 기호 고르기

그림에 맞게 수를 쓰고 기호를 골라요

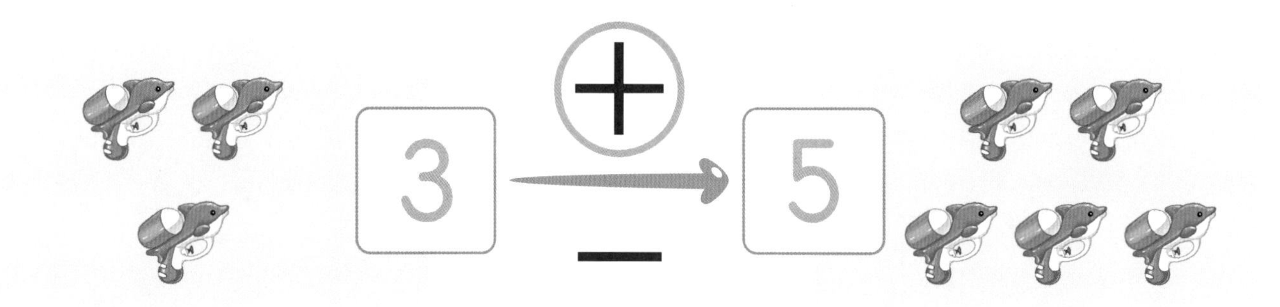

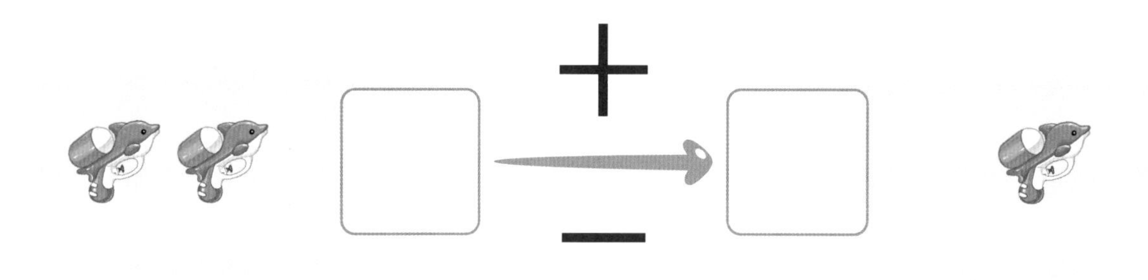

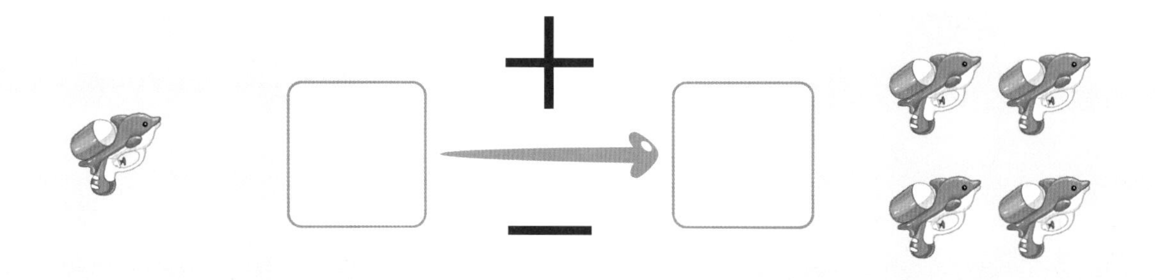

정답 102쪽

그림에 맞게 기호와 연결해요

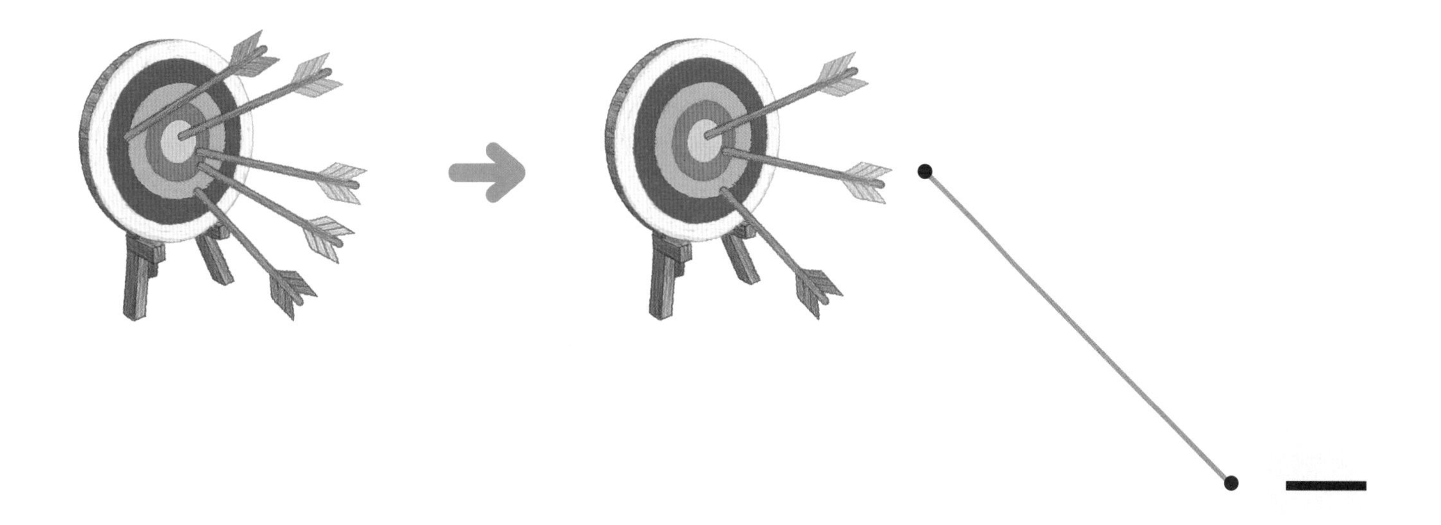

−

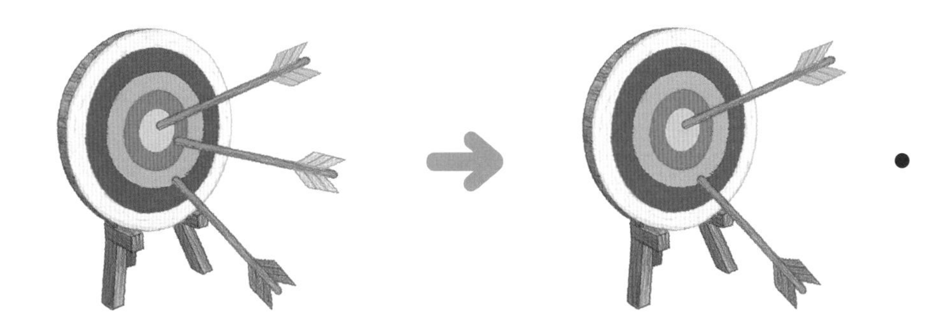

+

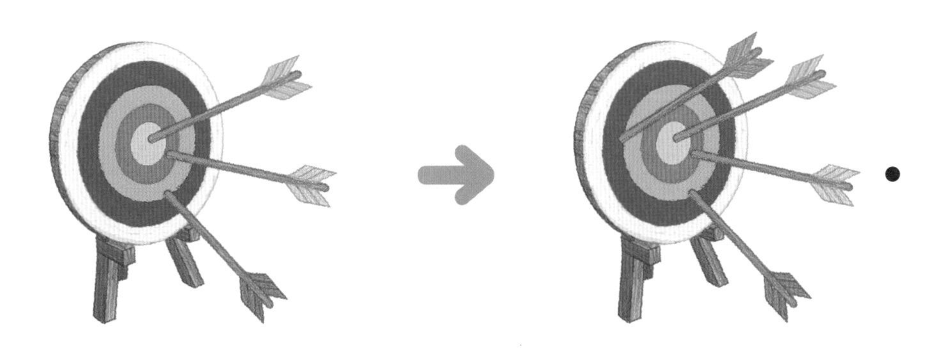

덧셈 상황은 + 기호를, 뺄셈 상황은 − 기호를 사용한다는 것을 알려주세요.

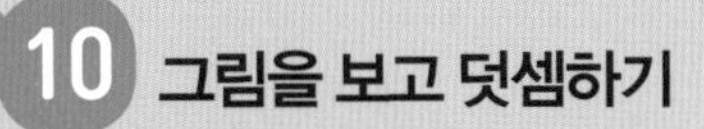

10 그림을 보고 덧셈하기

곤충의 수로 덧셈을 해요

활동 수업

   = 

   = 

   = 

정답 102쪽

간식의 수로 덧셈을 해요

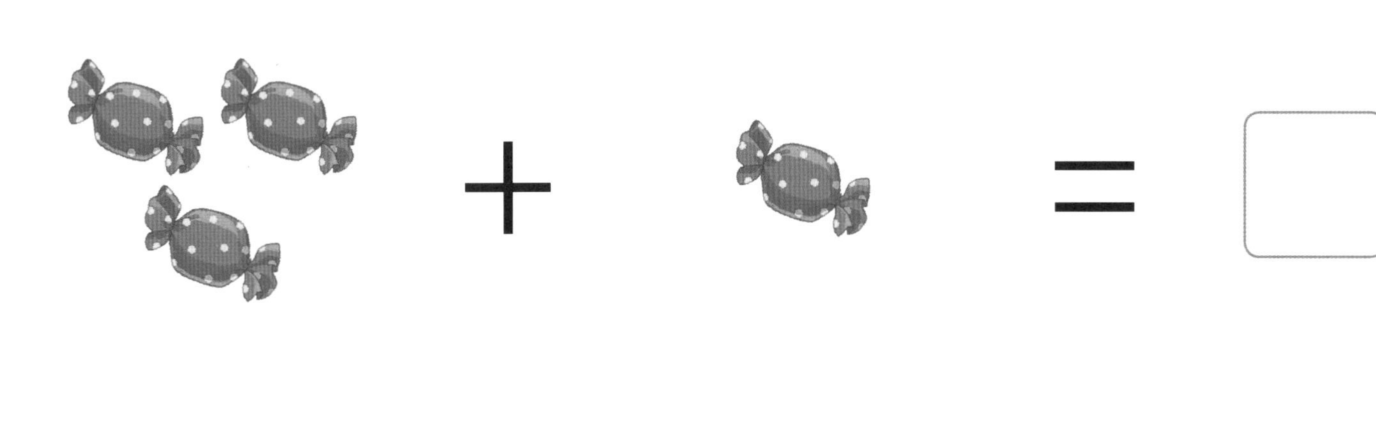

그림의 수로 더하는 연습을 하면서 덧셈식을 +, = 기호로 나타내는 것을 익혀요.

11 그림을 보고 덧셈식 완성하기

수를 써서 덧셈식을 완성해요

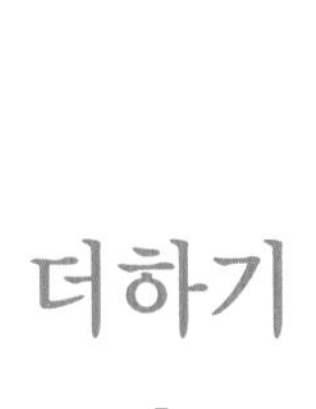
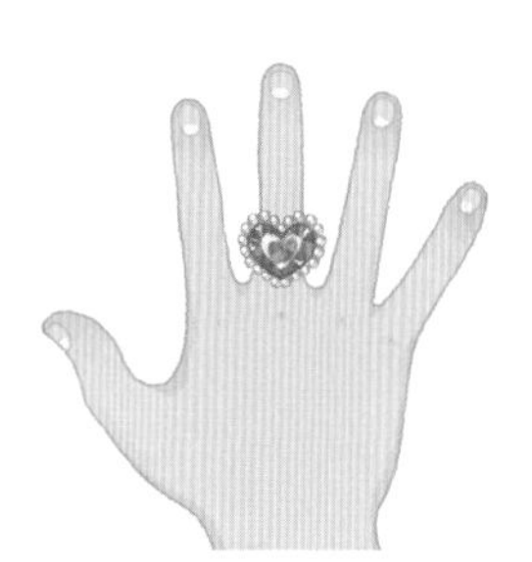

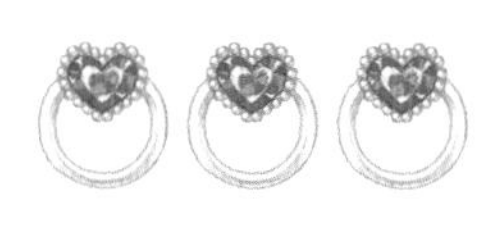

더하기 은

2 + 1 = 3

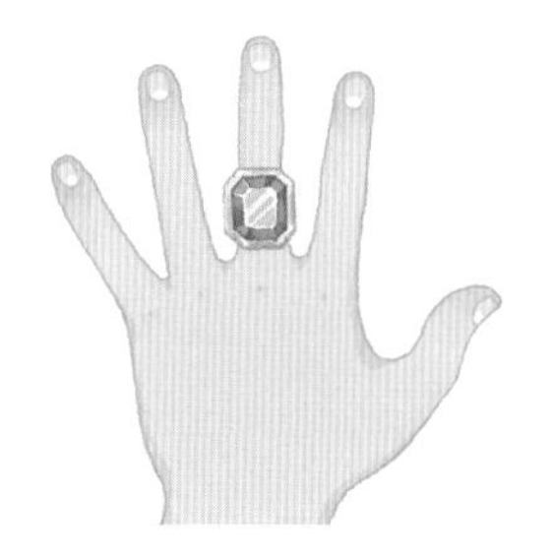

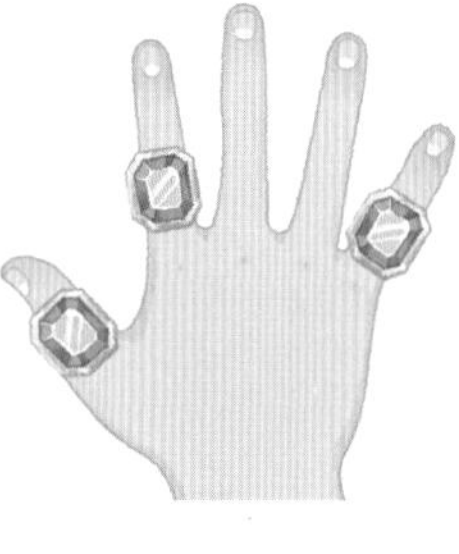

더하기 은

☐ + ☐ = ☐

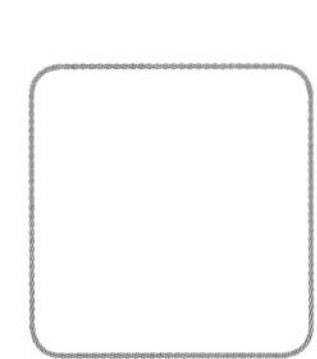

더하기 는

☐ + ☐ = ☐

정답 103쪽

수를 써서 덧셈식을 완성해요

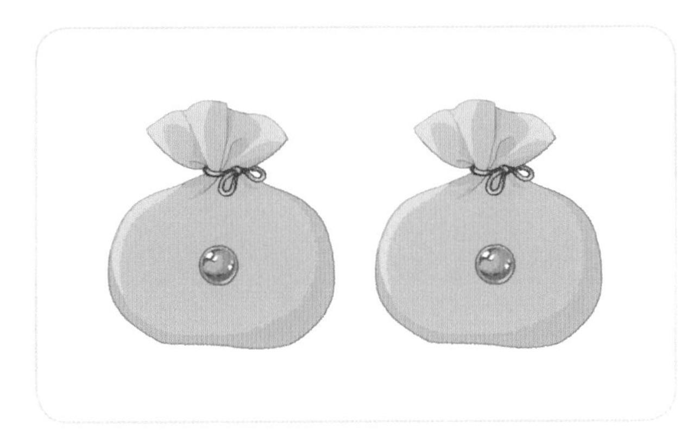

1 + 1 = 2

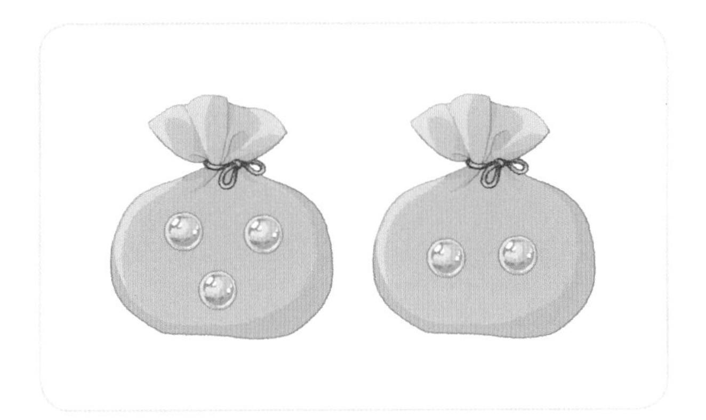

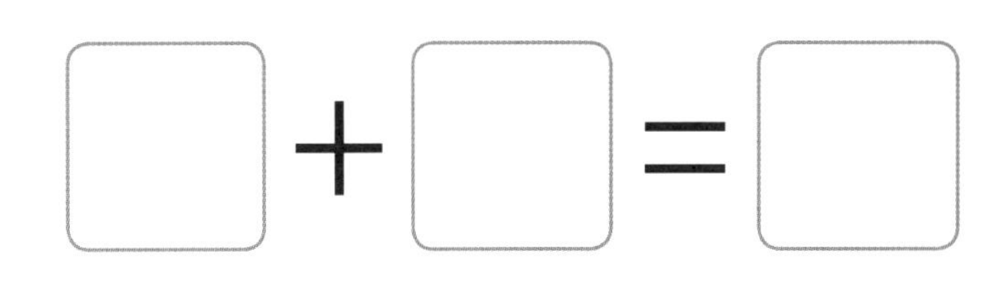

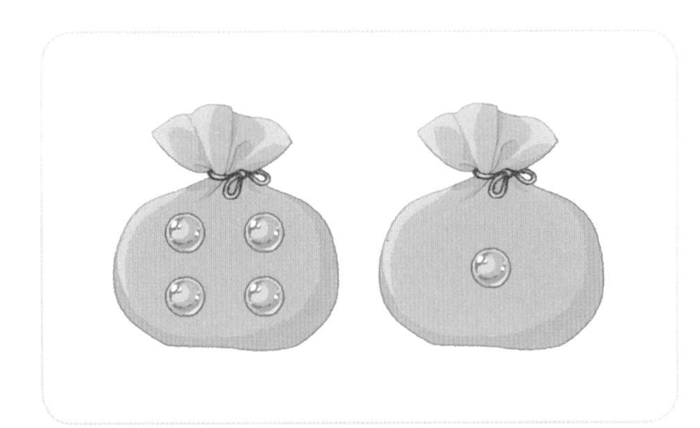

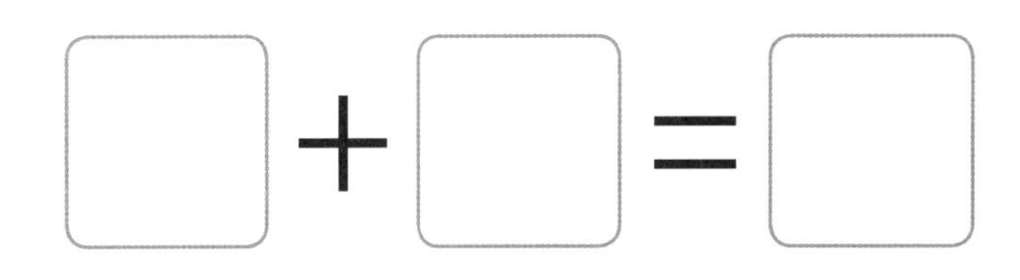

두 그림의 수를 각각 써서 덧셈식을 쓰는 연습을 하세요.
2+1=3을 완성하면서 '이 더하기 일은 삼'이라고 읽도록 알려주세요.

12 그림을 보고 뺄셈하기

동물의 수로 뺄셈을 해요

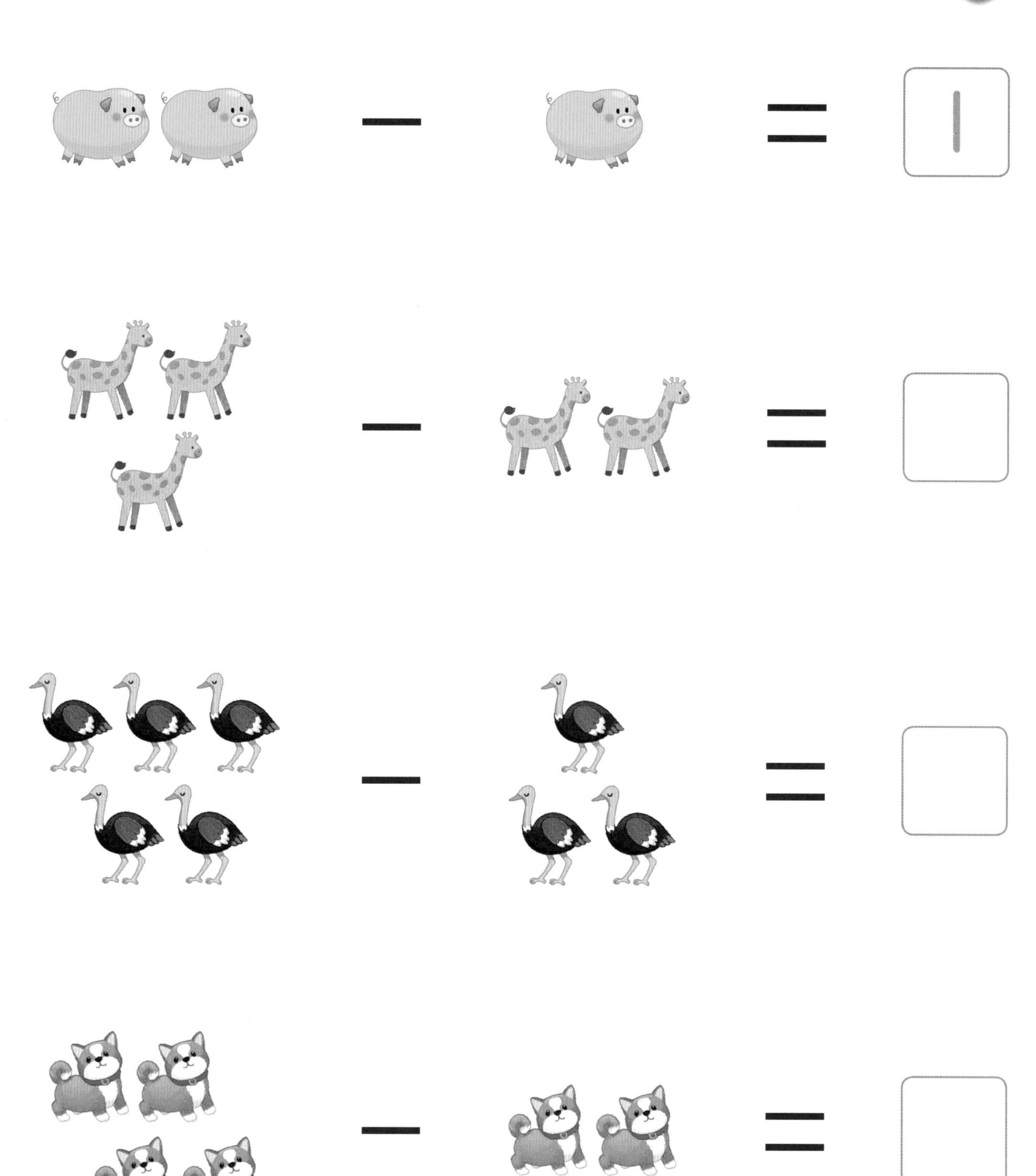

정답 103쪽

음료의 수로 뺄셈을 해요

 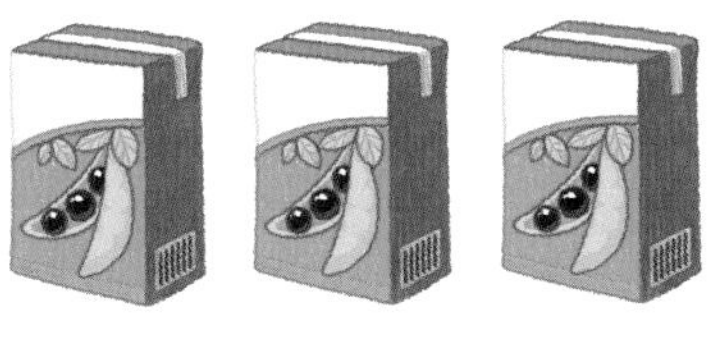  −  = 

 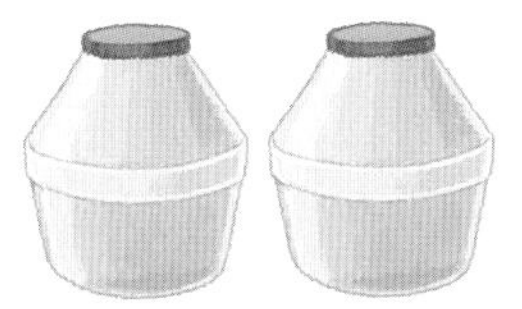 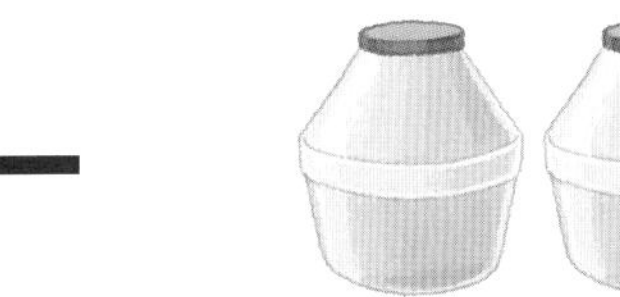 −   = 

   −    = 

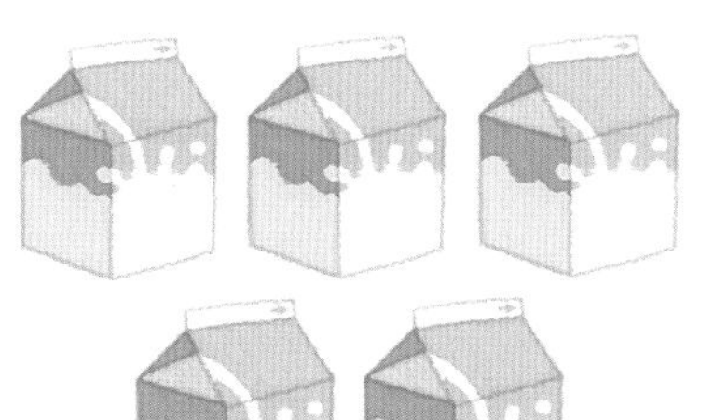  −  = 

Guide 그림의 수로 빼는 연습을 하면서 뺄셈식을 −, = 기호로 나타내는 것을 익혀요.

수를 써서 뺄셈식을 완성해요

빼기 은

5 − 1 = 4

빼기 는

☐ − ☐ = ☐

빼기 은

☐ − ☐ = ☐

정답 104쪽

수를 써서 뺄셈식을 완성해요

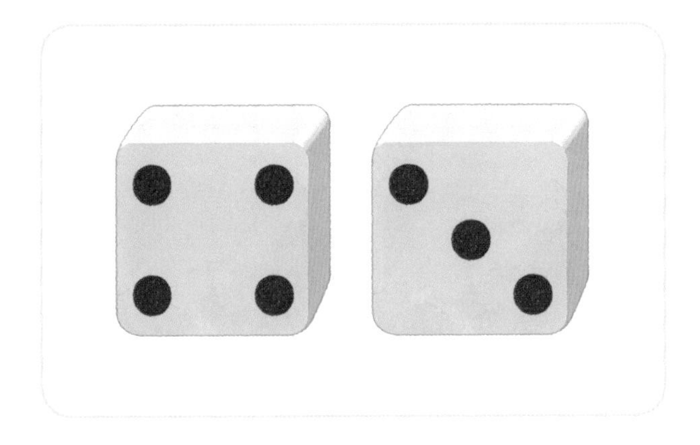

4 − 3 = 1

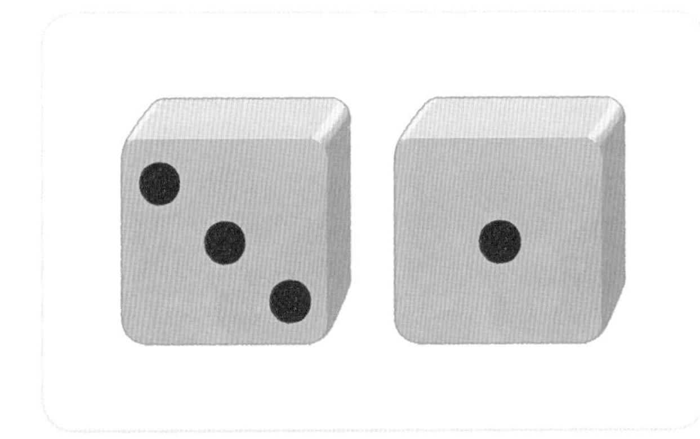

Guide 새가 날아가는 상황과 주사위 눈 수의 차로 뺄셈식을 쓰는 연습을 하세요. 새 5마리가 있었는데 1마리가 날아가고 4마리가 남은 것을 식으로 나타내면 $5-1=4$이고, '오 빼기 일은 사'라고 읽도록 알려주세요.

날아가는 모기를 따라 그려요

모기가 움직인 길을 따라 선을 그어 보세요.

2 과정

10까지의 셈

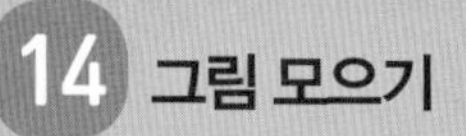

달팽이를 모아 붙임딱지를 붙여요

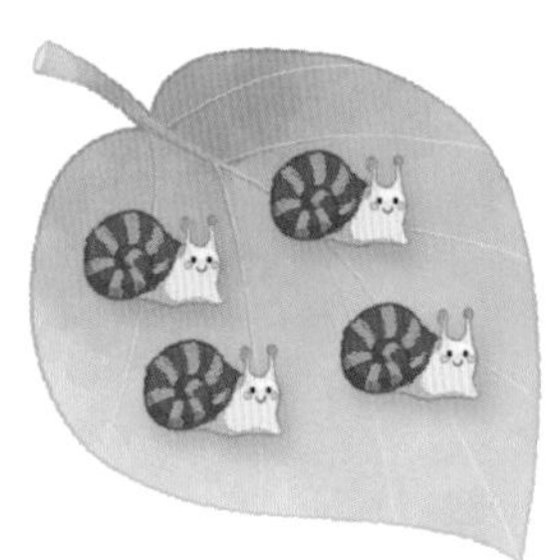   

정답 105쪽

햄스터를 모아 해바라기씨를 색칠해요

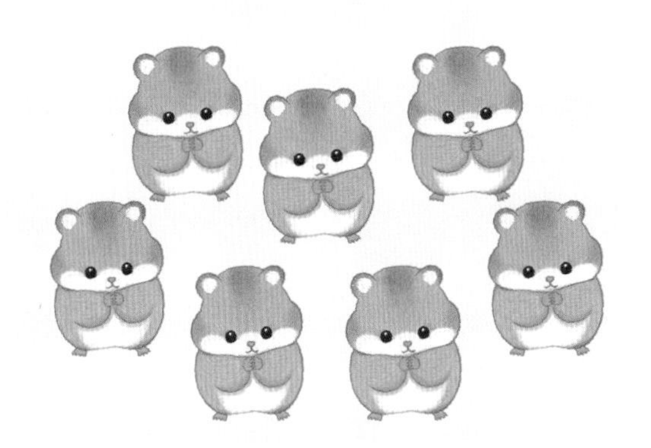

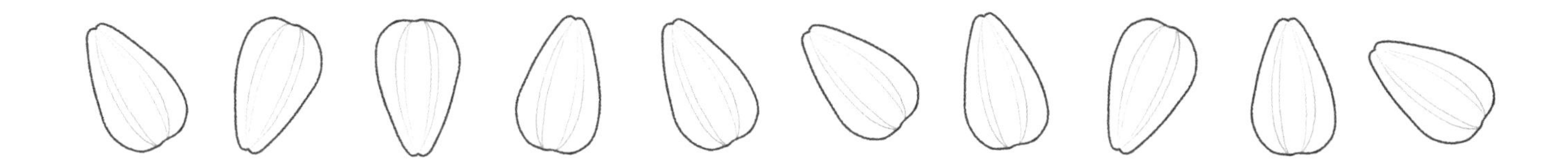

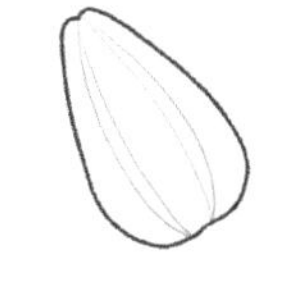
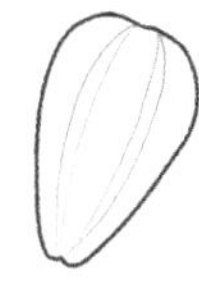
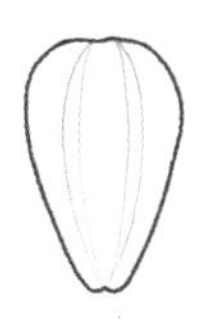
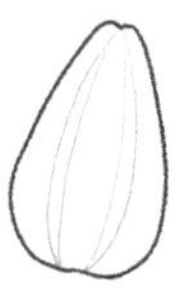
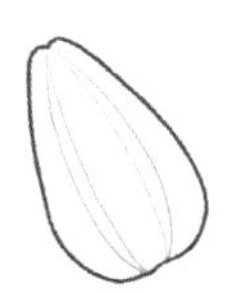
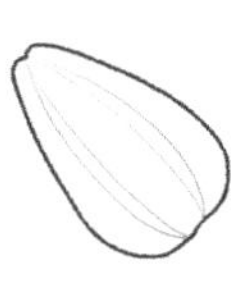
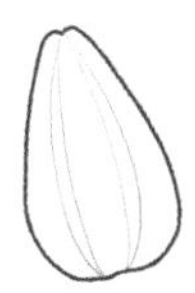

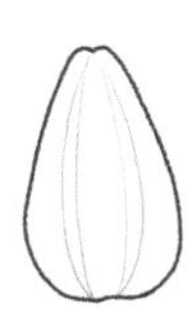
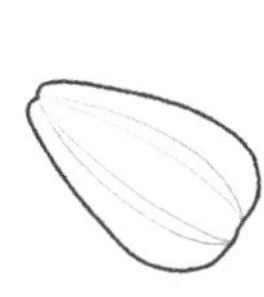

먼저 한 쪽에 있는 수만큼 붙임딱지를 붙이거나 색칠하고 다른 쪽에 있는 수만큼 이어서 붙이거나 색칠하세요.

공을 모으고 수를 세요

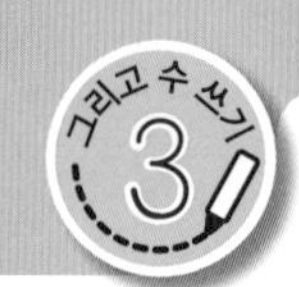

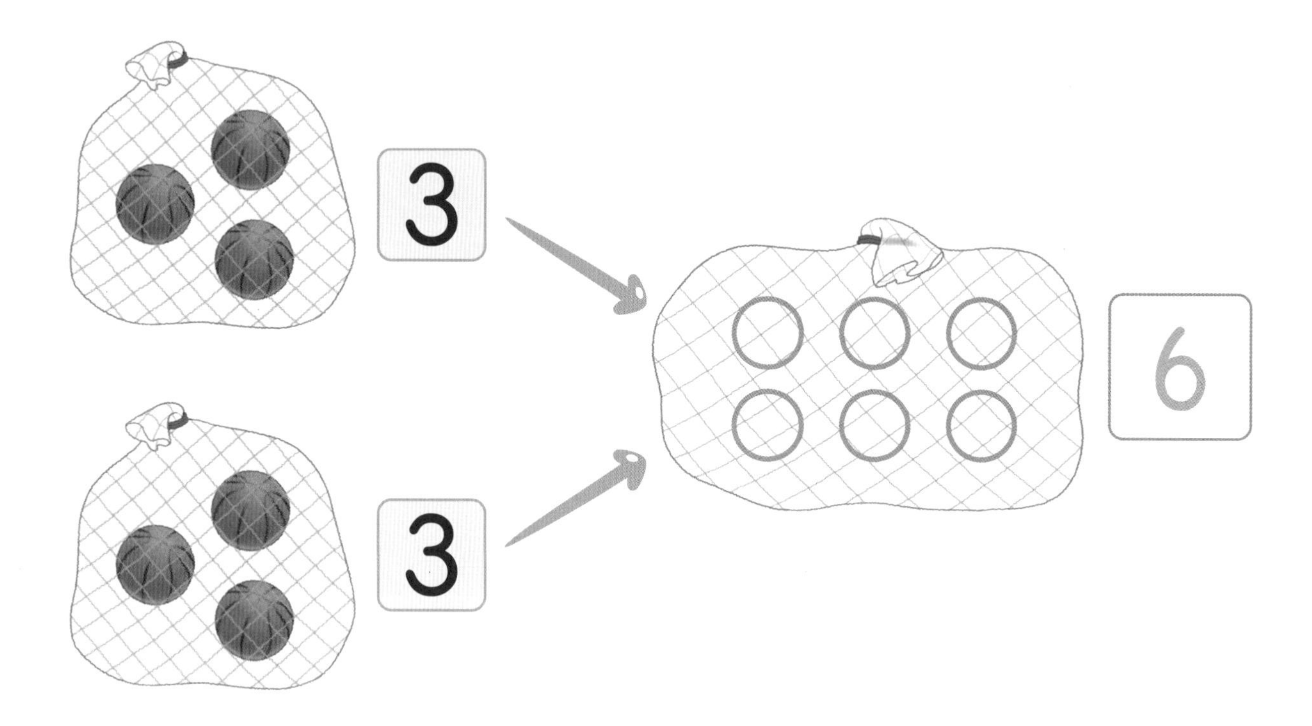

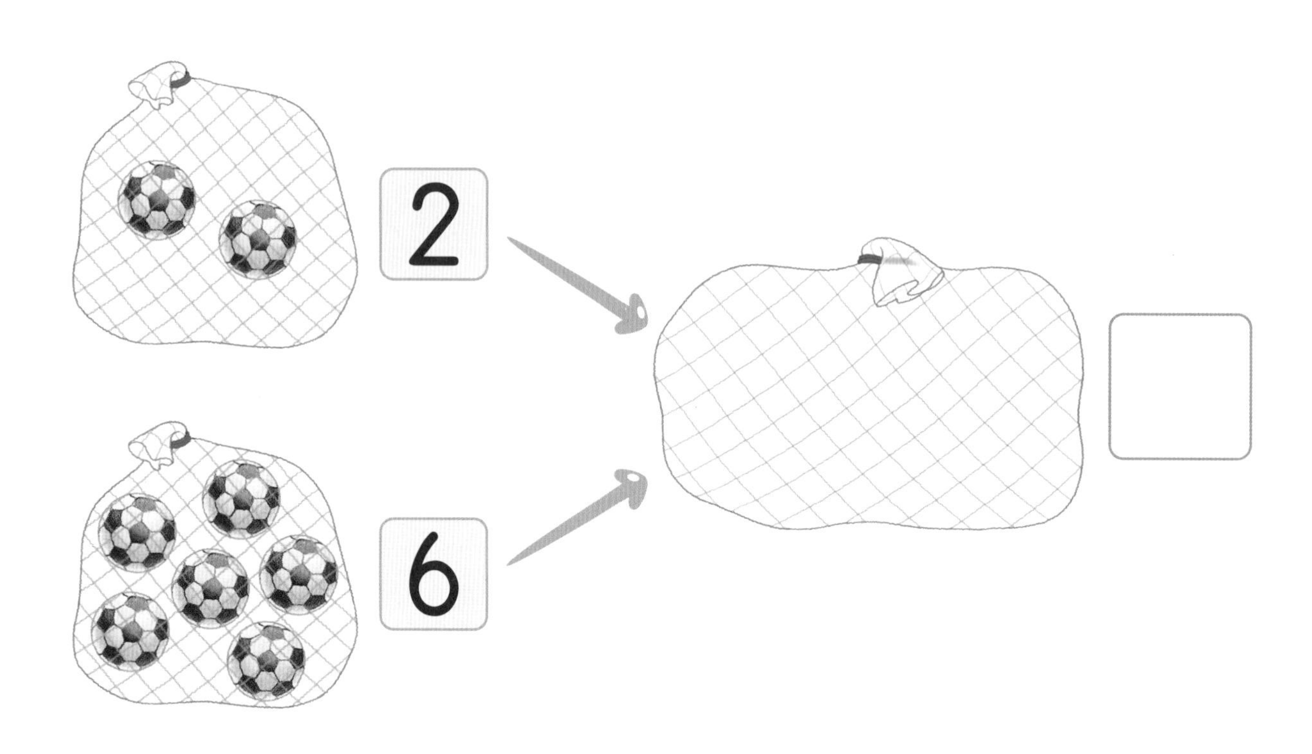

정답 105쪽

공을 모으고 수를 세요

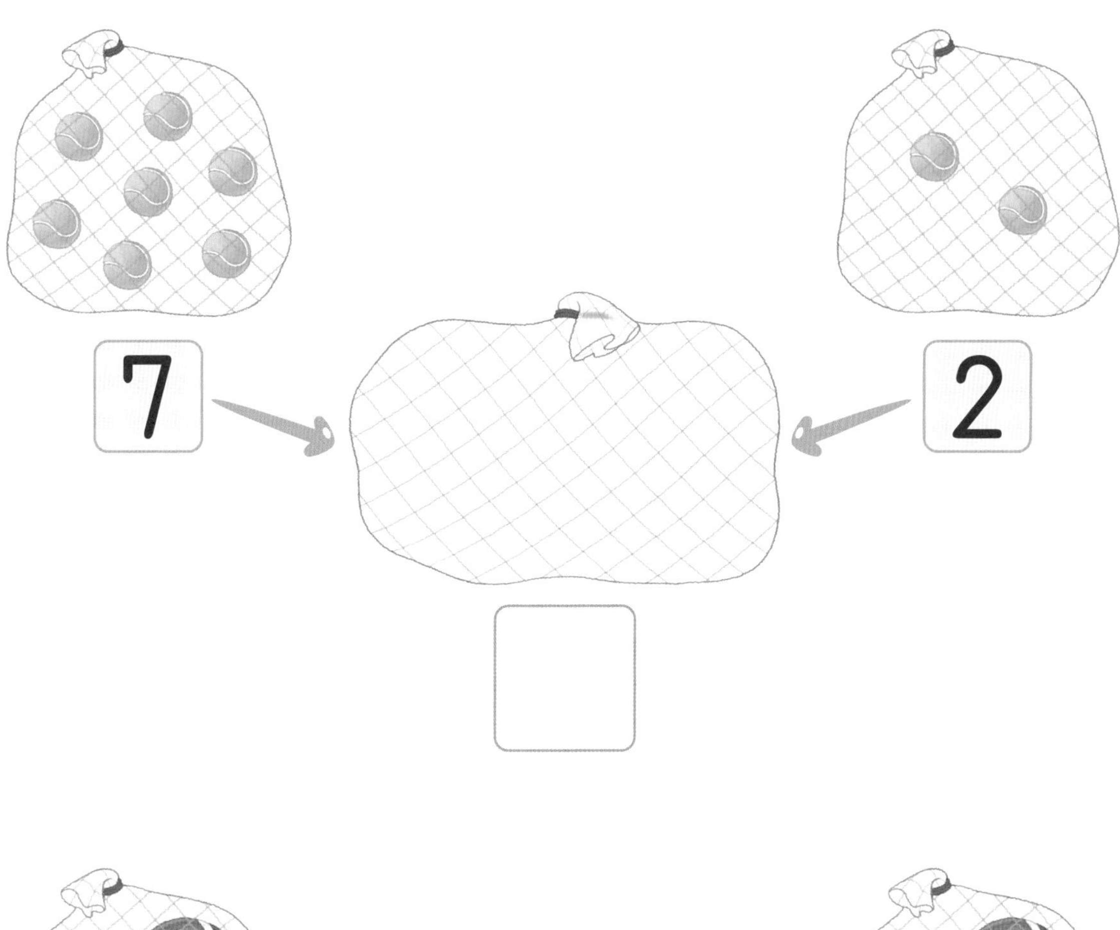

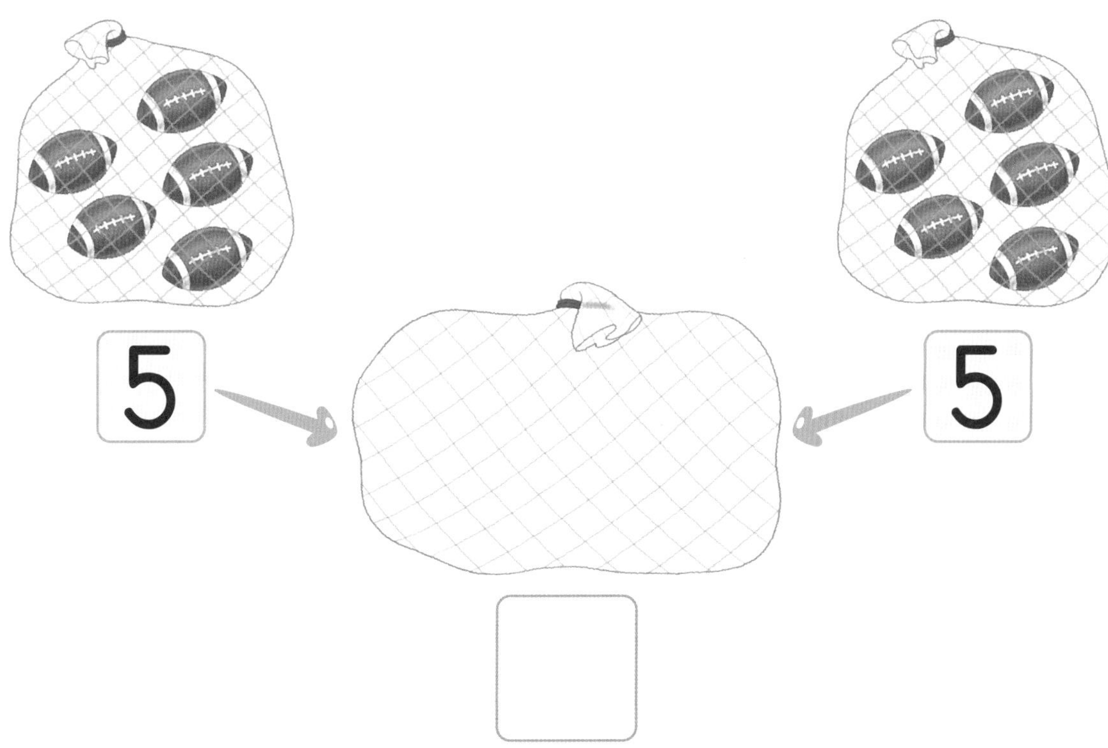

두 그림의 수만큼 모으면 몇 개인지 ○를 그리며 알아보고 수로 써요.
이번에는 모았을 때 5보다 큰 수가 되는 경우를 익혀요.

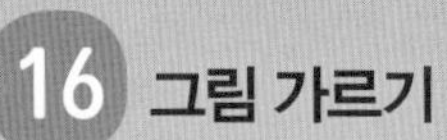

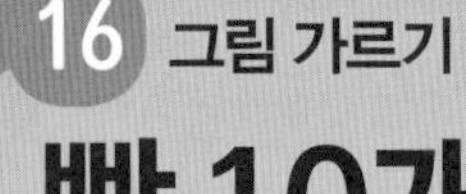

16 그림 가르기

빵 10개를 두 곳에 나눠요

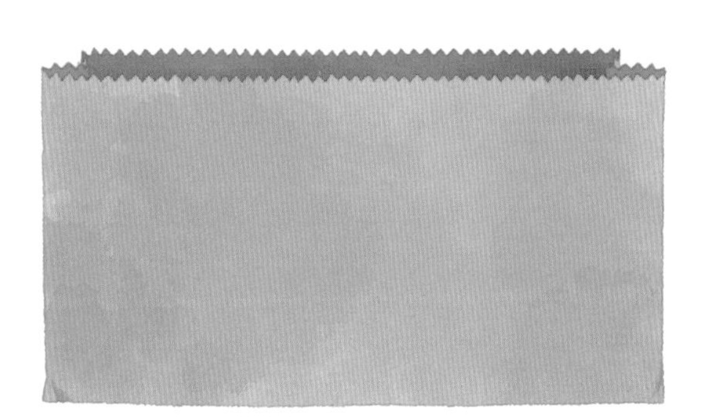

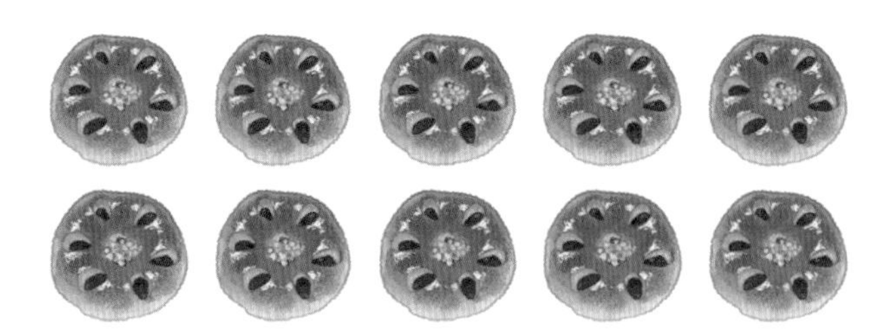

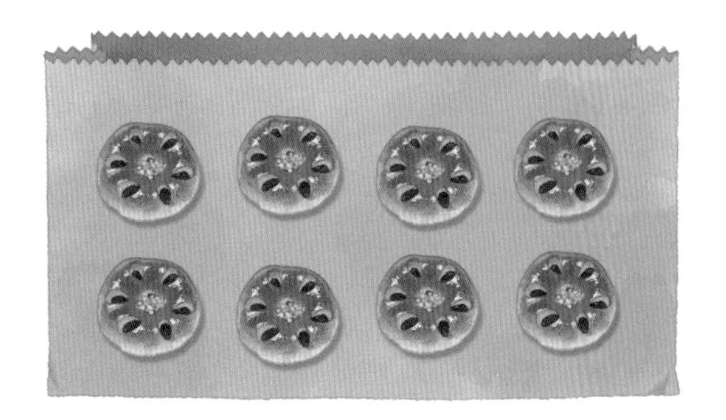

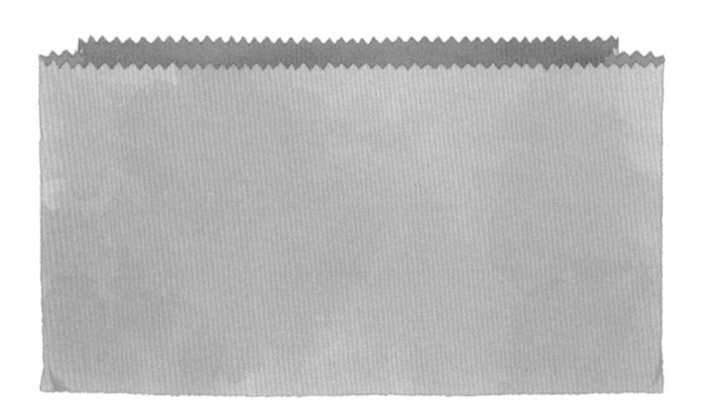

정답 106쪽

계란 10개를 두 곳에 나눠요

그림 10개를 나누어 보면서 10을 여러 가지 방법으로 가르는 연습을 해요.
전체가 10이 되는지 확인하면서 비어 있는 곳에 알맞게 붙임딱지를 붙이세요.

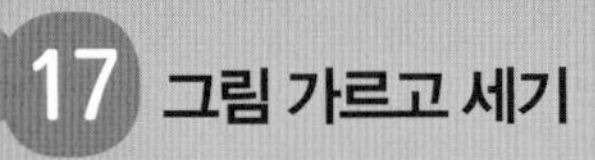

17 그림 가르고 세기

지렁이를 나누고 수를 세요

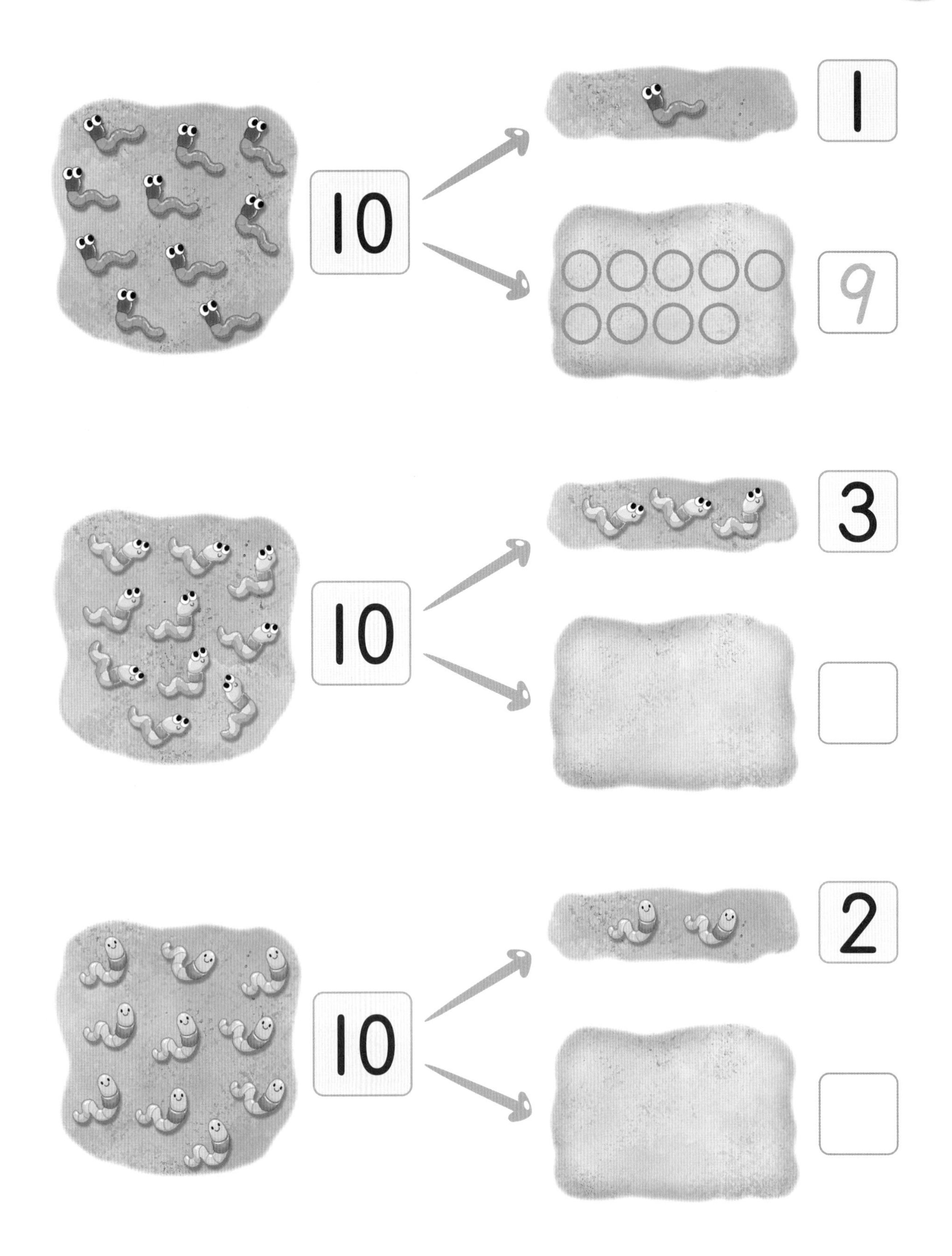

정답 106쪽

지렁이를 나누고 수를 세요

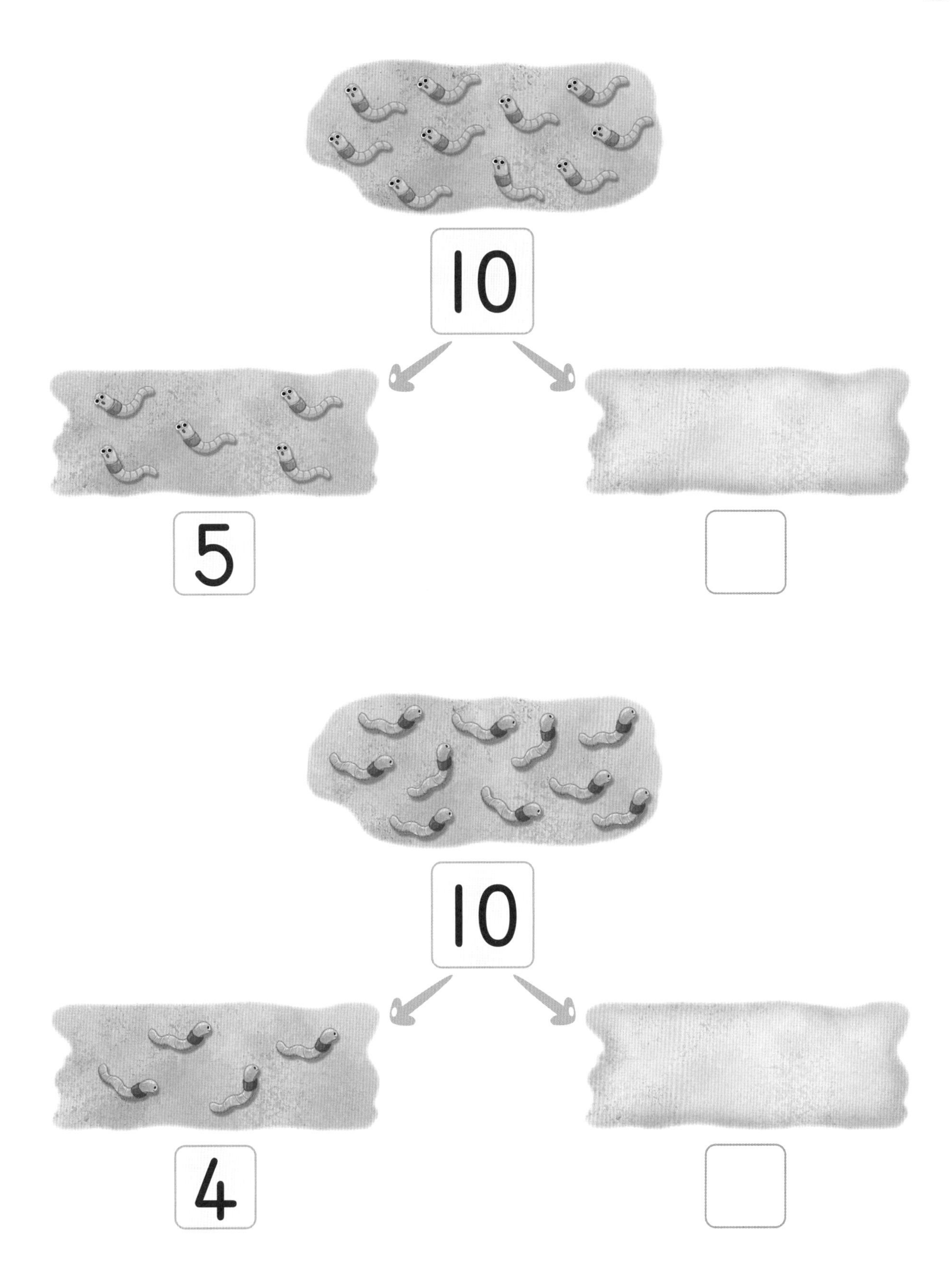

그림 10개를 어떻게 가를 수 있는지 ○를 그리며 알아보고 수로 써요.
10을 1과 9, 2와 8, 3과 7, 4와 6, 5와 5 등 여러 가지 방법으로 가를 수 있다고 알려주세요.

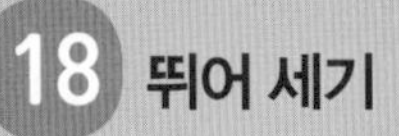

외계인이 도착한 수를 알아봐요

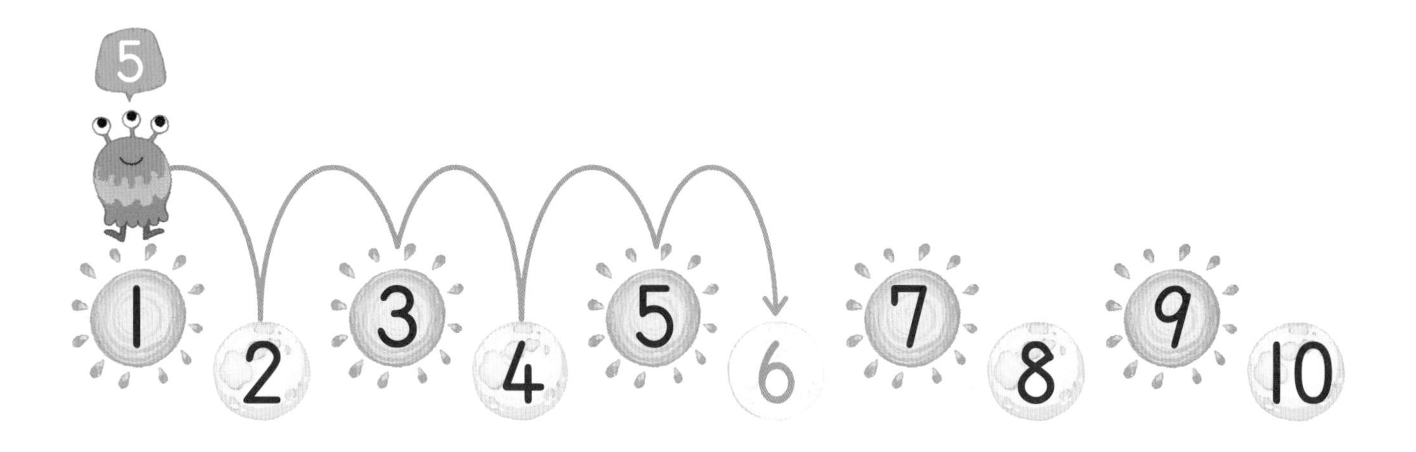

정답 107쪽

다람쥐가 도착한 수를 알아봐요

말풍선에 적힌 수만큼 화살표로 표시하고 도착한 수를 써요. 1에서 5만큼 더 가면 도착한 수는 6이에요.
덧셈을 이어 세기로 알아보는 방법이므로 화살표를 수가 커지는 쪽으로 표시해야 된다고 알려주세요.

더 넣으면 모두 몇 개인지 구해요

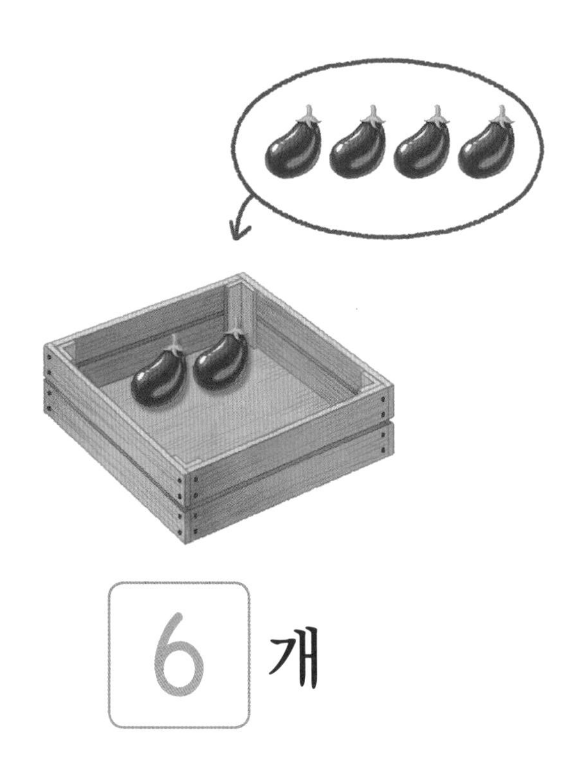

6 개

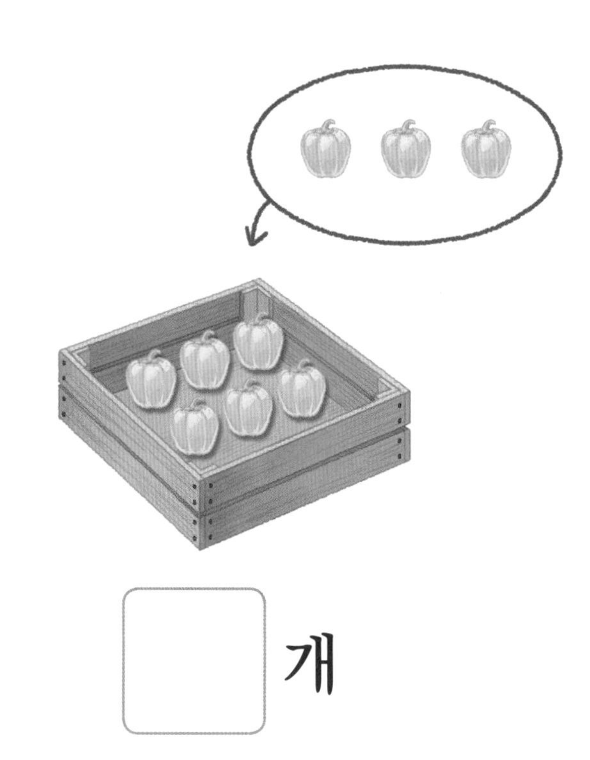

개

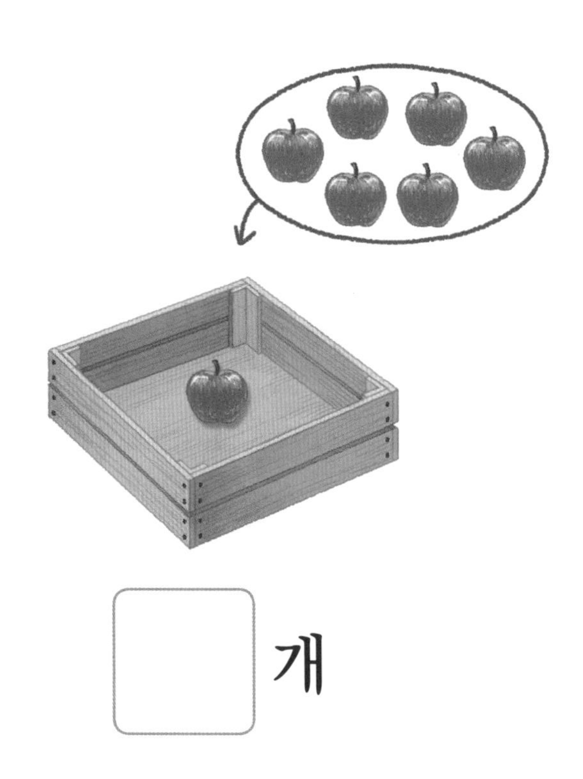

개

개

정답 107쪽

더 넣으면 모두 몇 개인지 구해요

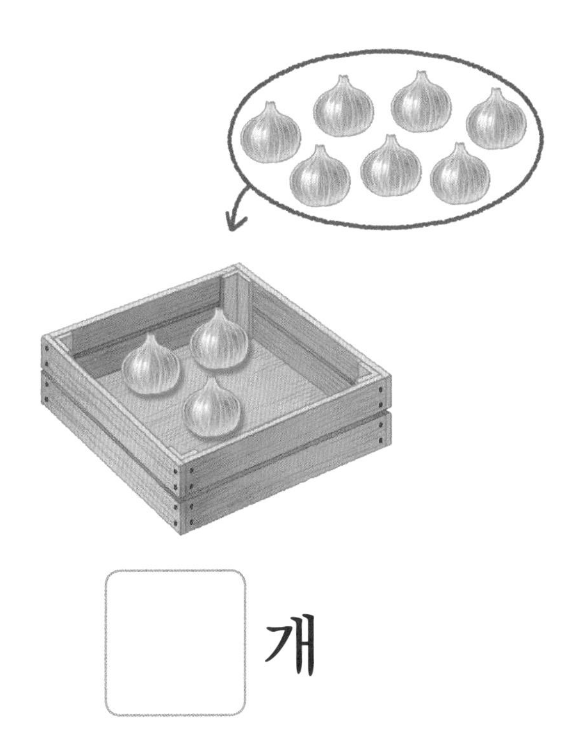

개

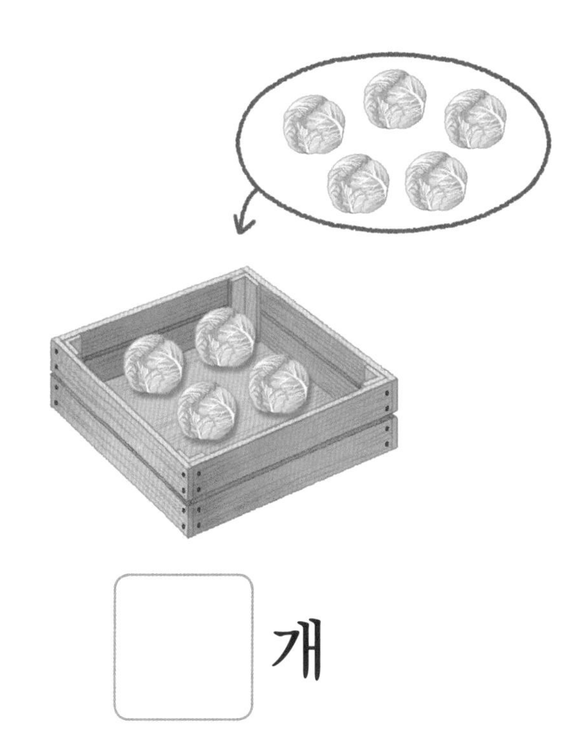

개

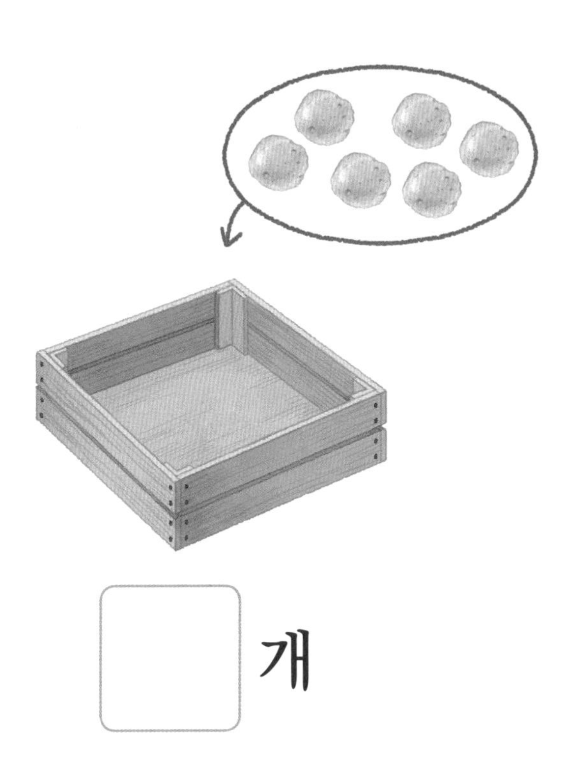

개

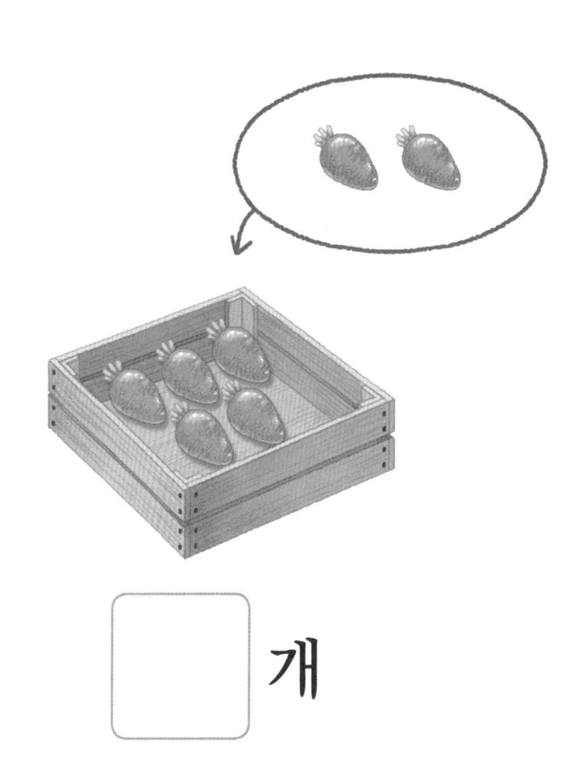

개

실생활에서 '상자에 가지 2개가 있었는데 4개를 더 넣으면 모두 몇 개가 될까?'와 같이 질문하여 덧셈 상황에 익숙해지도록 알려주세요.

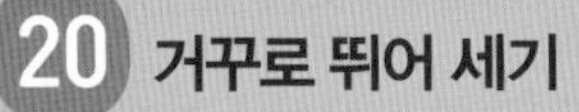

꿀벌이 도착한 수를 알아봐요

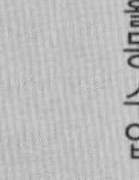

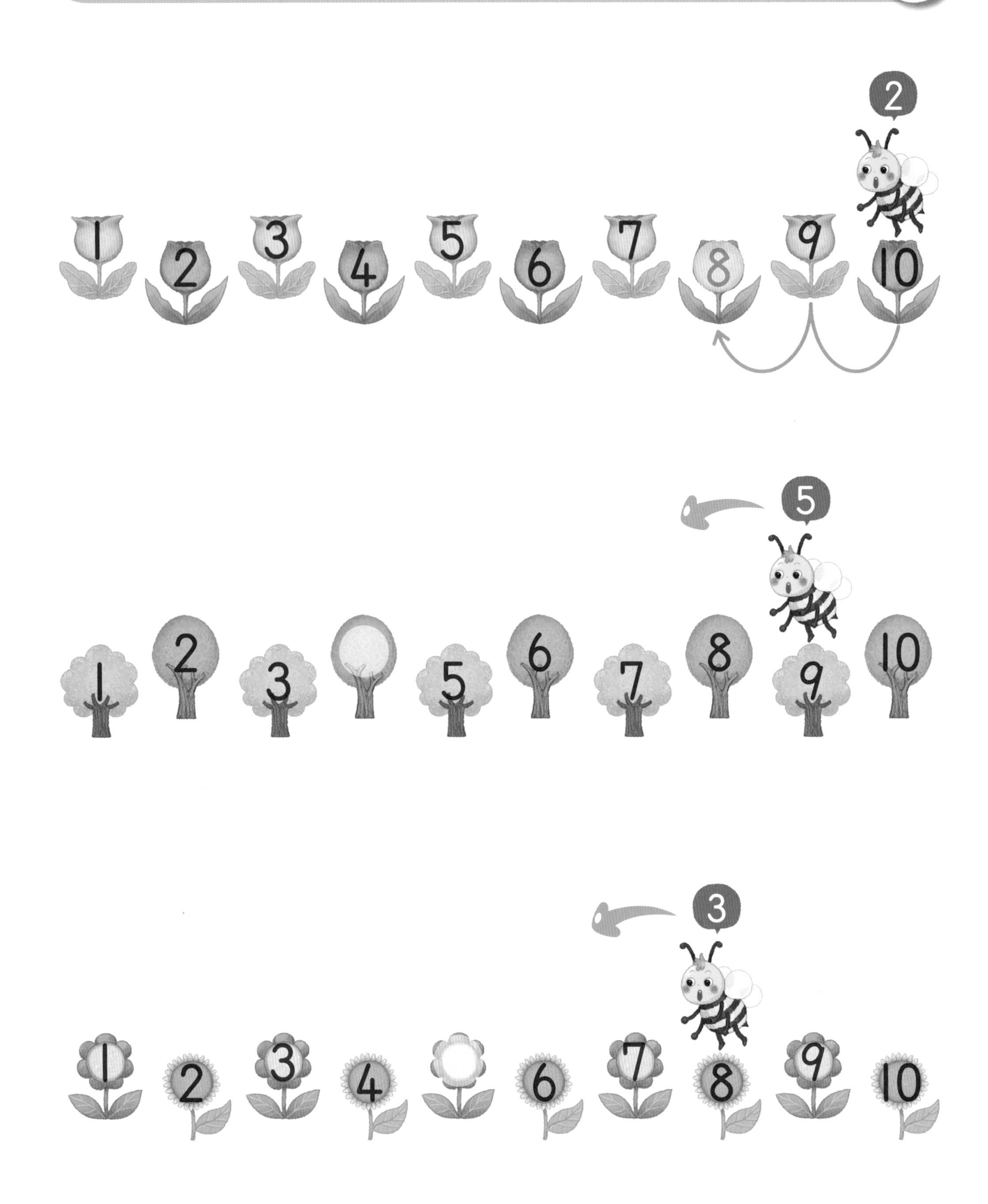

정답 108쪽

펭귄이 도착한 수를 알아봐요

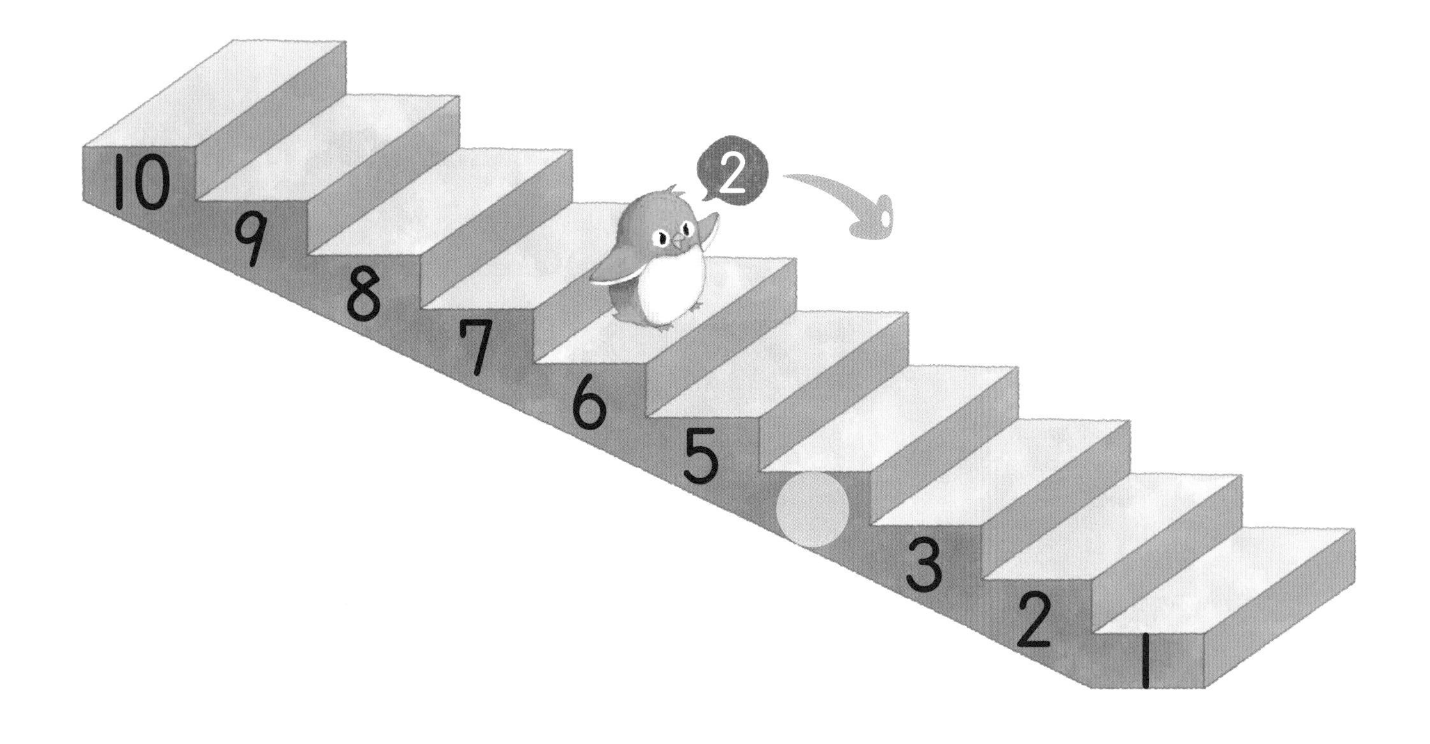

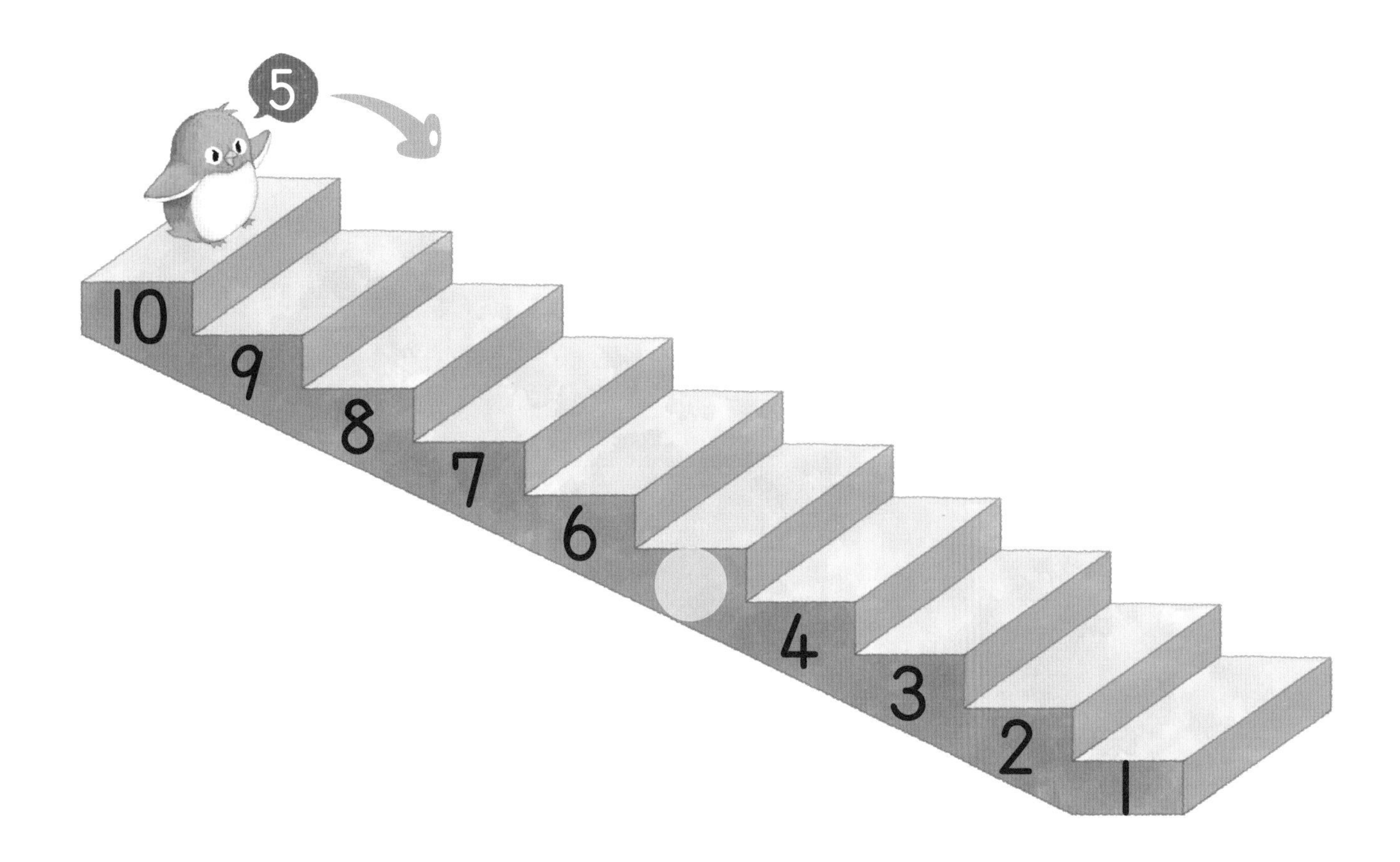

말풍선에 적힌 수만큼 거꾸로 화살표로 표시하고 도착한 수를 써요. 10에서 2만큼 거꾸로 가면 도착한 수는 8이에요.
뺄셈을 거꾸로 세기로 알아보는 방법이므로 화살표를 수가 작아지는 쪽으로 표시해야 된다고 알려주세요.

21 기호가 없는 뺄셈하기

먹고 남은 떡의 수를 구해요

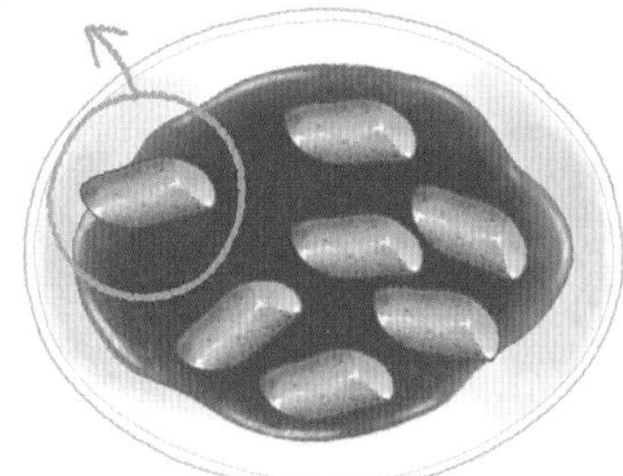

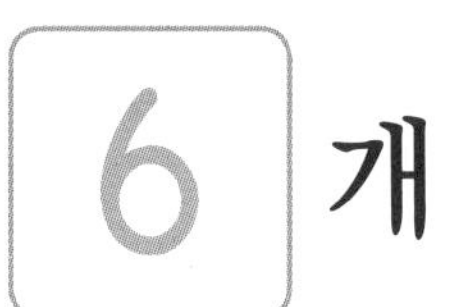

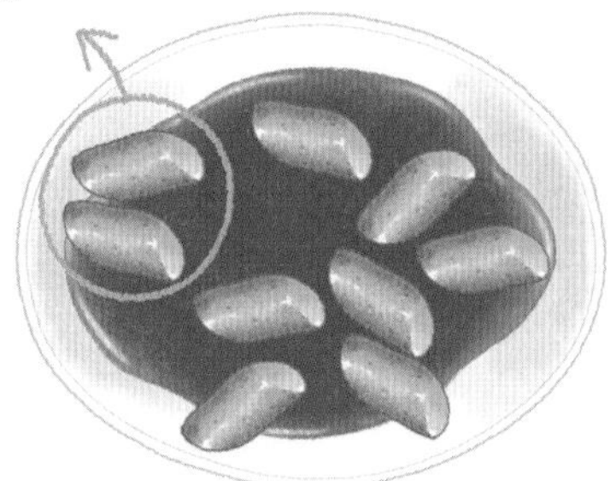

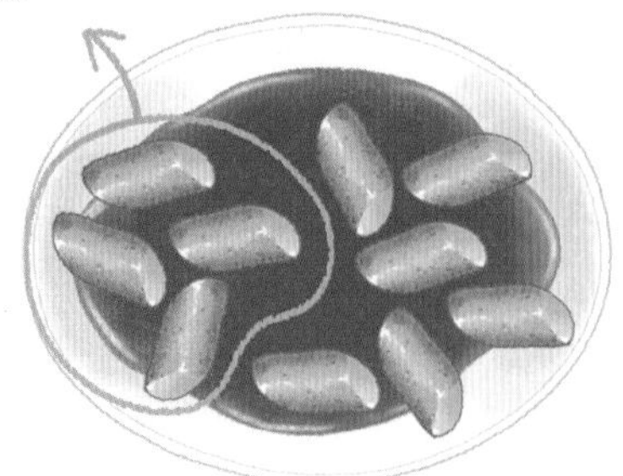

정답 108쪽

먹고 남은 떡의 수를 구해요

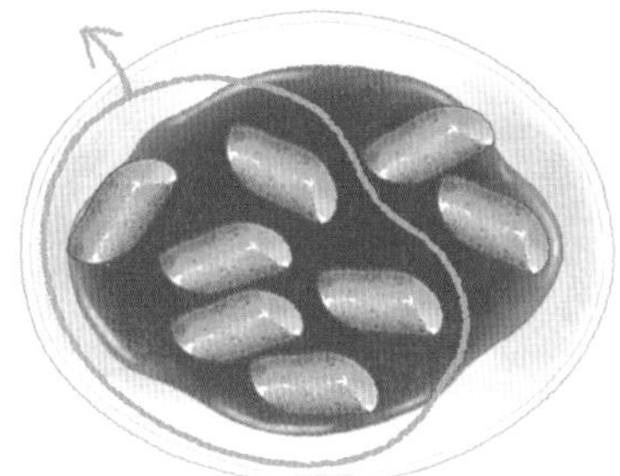

개

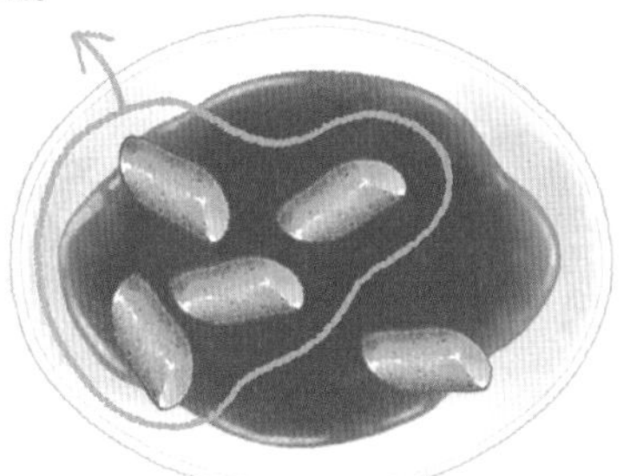

개

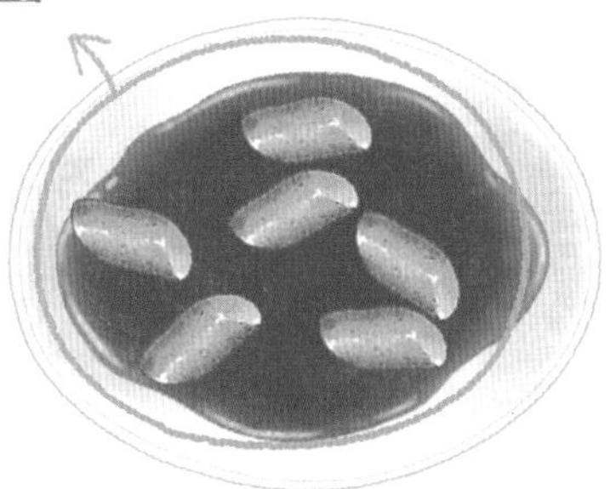

개

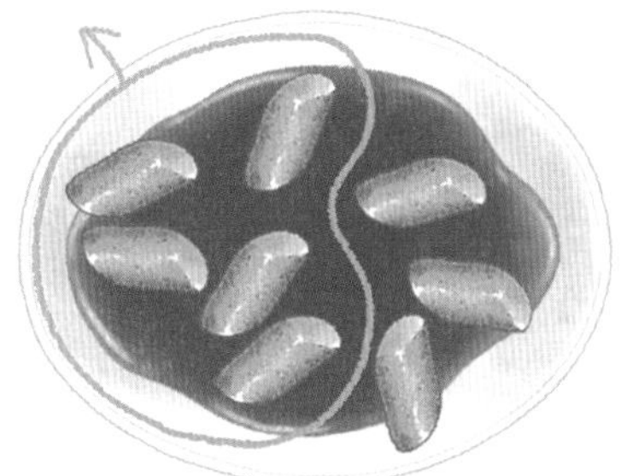

개

실생활에서 '떡 7개가 있었는데 1개를 먹으면 몇 개가 남을까?'와 같이 질문하여 뺄셈 상황에 익숙해지도록 알려주세요.

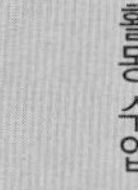

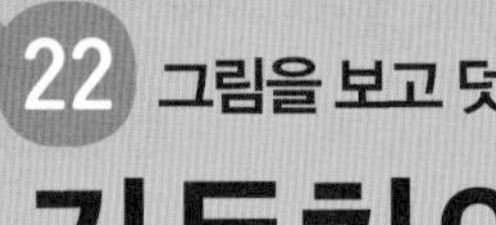

22 그림을 보고 덧셈하기

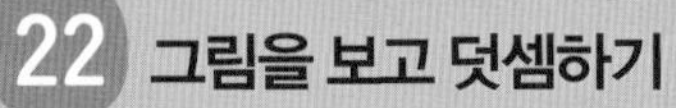

자동차의 수로 덧셈을 해요

+ = 7

+ =

+ =

정답 109쪽

비행기의 수로 덧셈을 해요

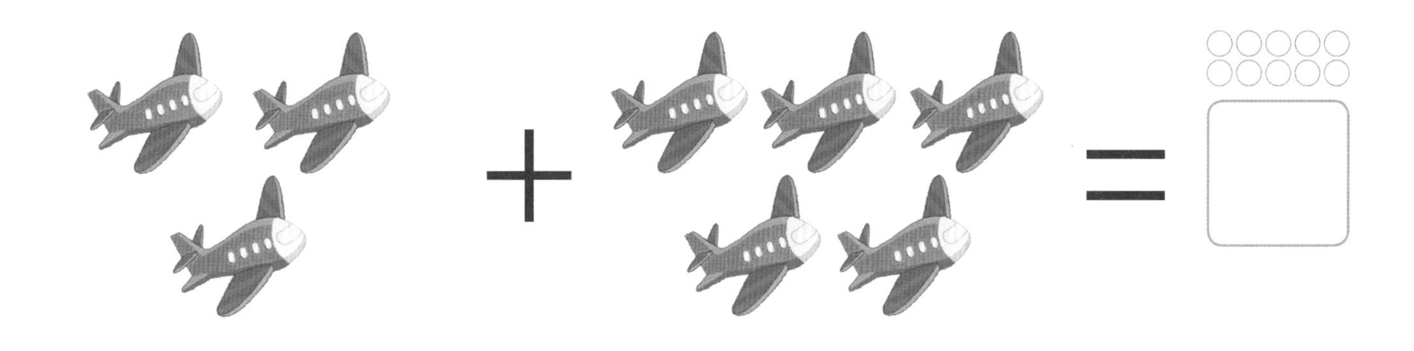

Guide 덧셈 결과가 5보다 큰 경우를 그림으로 연습하세요.
＋ 앞의 수만큼 ○에 색칠하고, 이어서 ＋ 뒤의 수만큼 색칠하면 전체 그림의 수가 된다고 알려주세요.

손가락을 이용하여 식을 완성해요

더하기 은

3 + 3 = 6

더하기 은

4 + 3 = □

더하기 는

4 + 5 = □

정답 109쪽

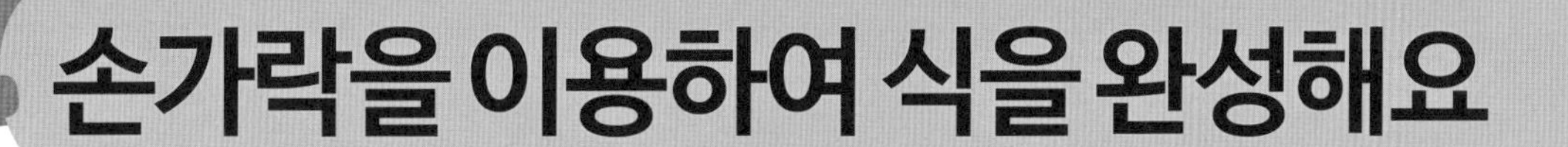

손가락을 이용하여 식을 완성해요

더하기 는

$2 + 4 =$ □

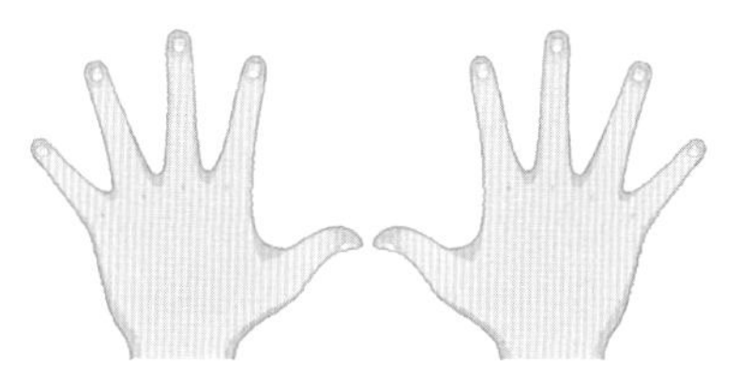

더하기 은

$5 + 3 =$ □

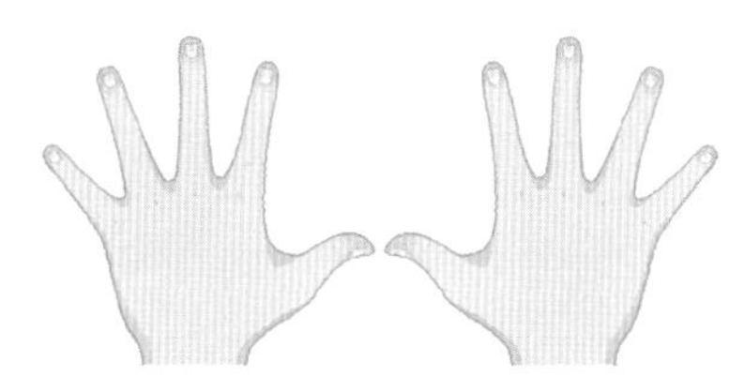

더하기 은

$7 + 0 =$ 

＋ 앞의 수만큼 손가락에 ○표 하고, 이어서 ＋ 뒤의 수만큼 ○표 하면 덧셈식의 결과가 된다고 알려주세요. 실제로 본인의 손을 이용하여 덧셈을 해도 좋아요.

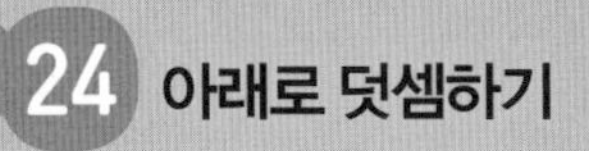

악기의 수를 더해요

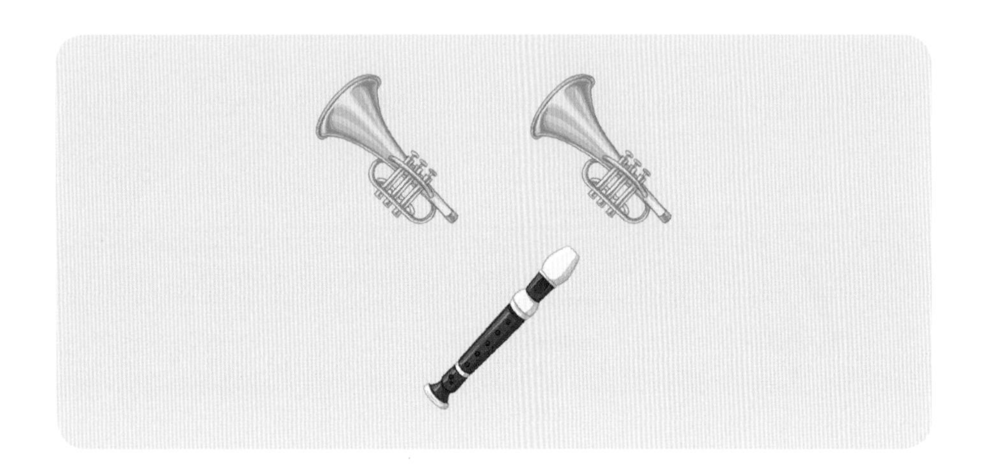

$$\begin{array}{r} 2 \\ +\ 1 \\ \hline 3 \end{array}$$

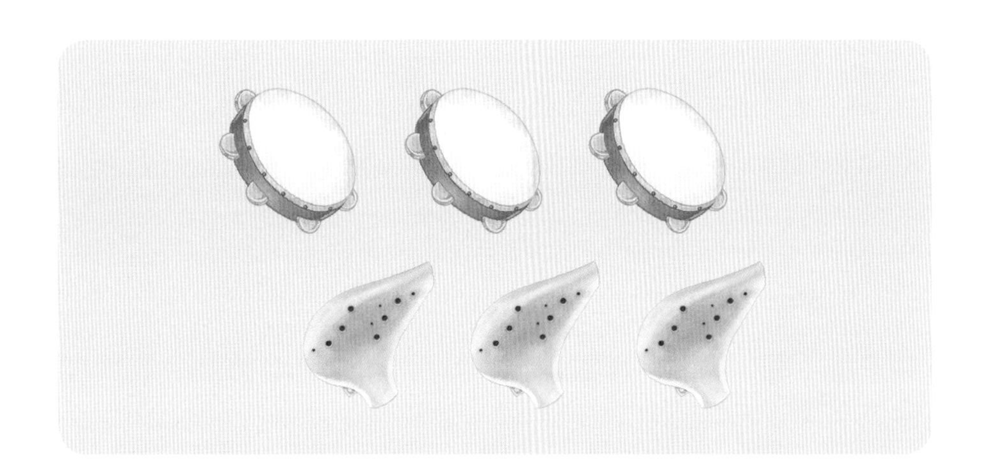

$$\begin{array}{r} 3 \\ +\ 3 \\ \hline \square \end{array}$$

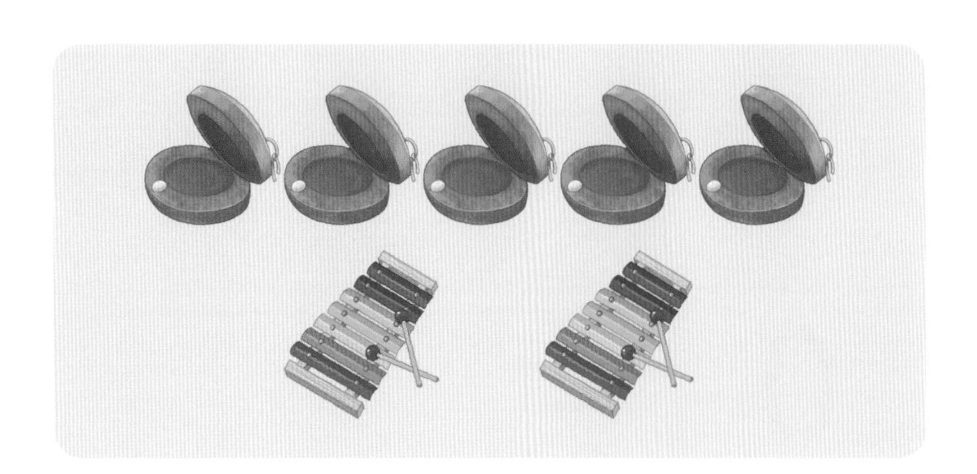

$$\begin{array}{r} 5 \\ +\ 2 \\ \hline \square \end{array}$$

정답 110쪽

악기의 수를 더해요

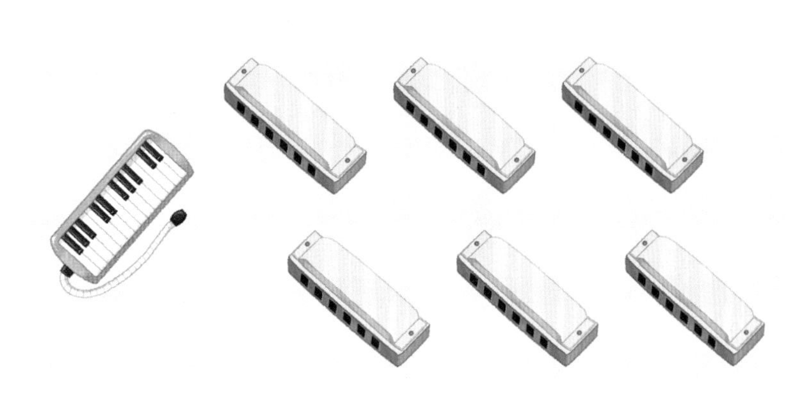

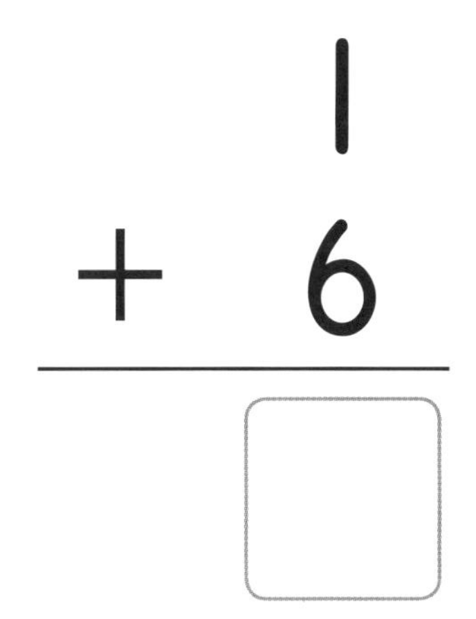

$$\begin{array}{r} 4 \\ +\ 2 \\ \hline \square \end{array}$$

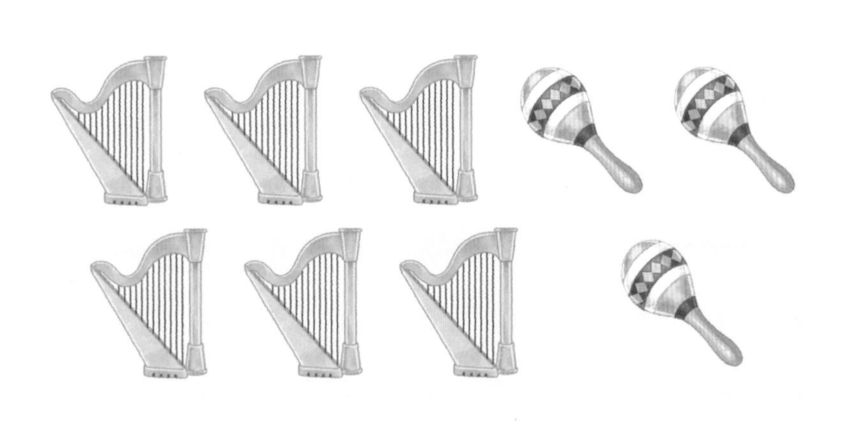

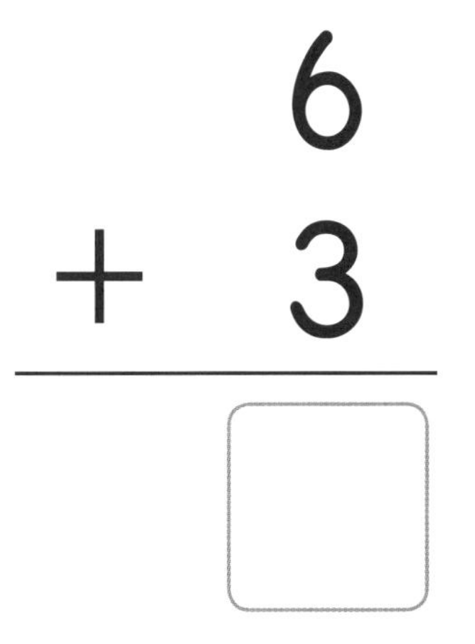

Guide 세로로 쓰는 덧셈식을 익혀요.
가로로 쓴 덧셈식에서 + 뒤의 수를 아래쪽에 나타낸 식으로 계산 방법은 똑같아요.

25 그림을 보고 뺄셈하기

과자의 수로 뺄셈을 해요

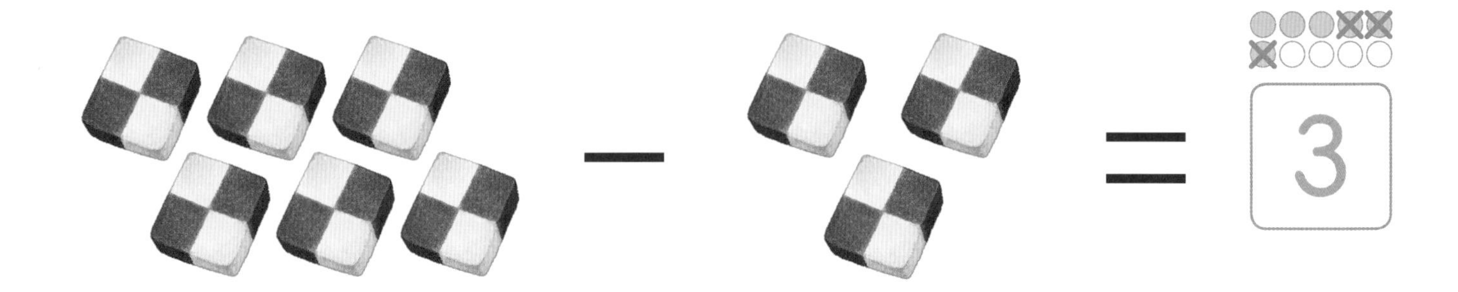

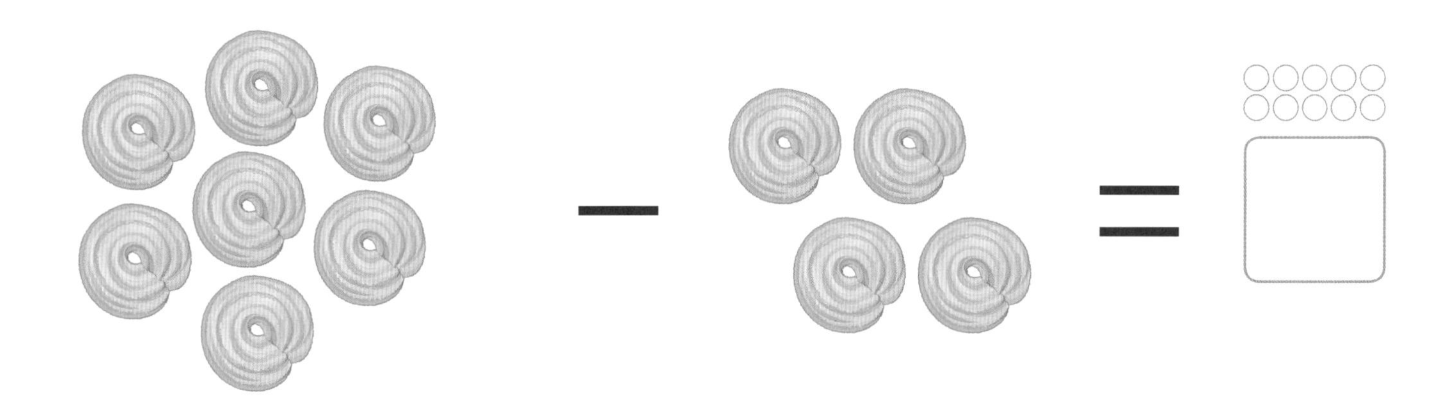

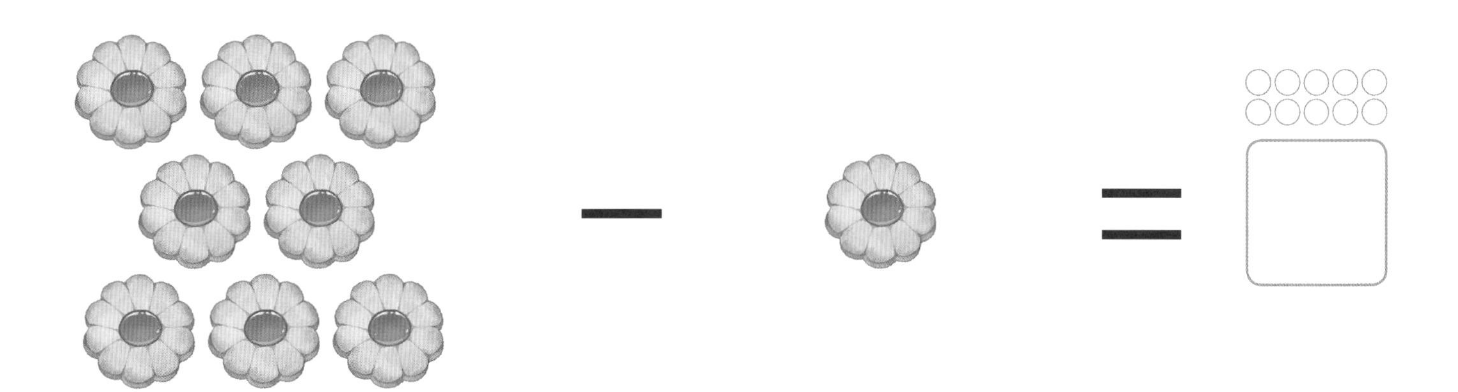

정답 110쪽

아이스크림의 수로 뺄셈을 해요

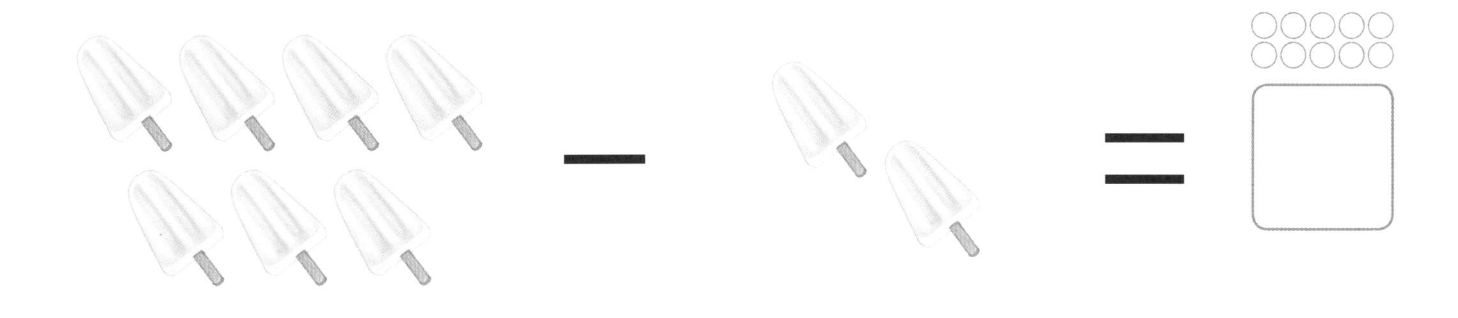

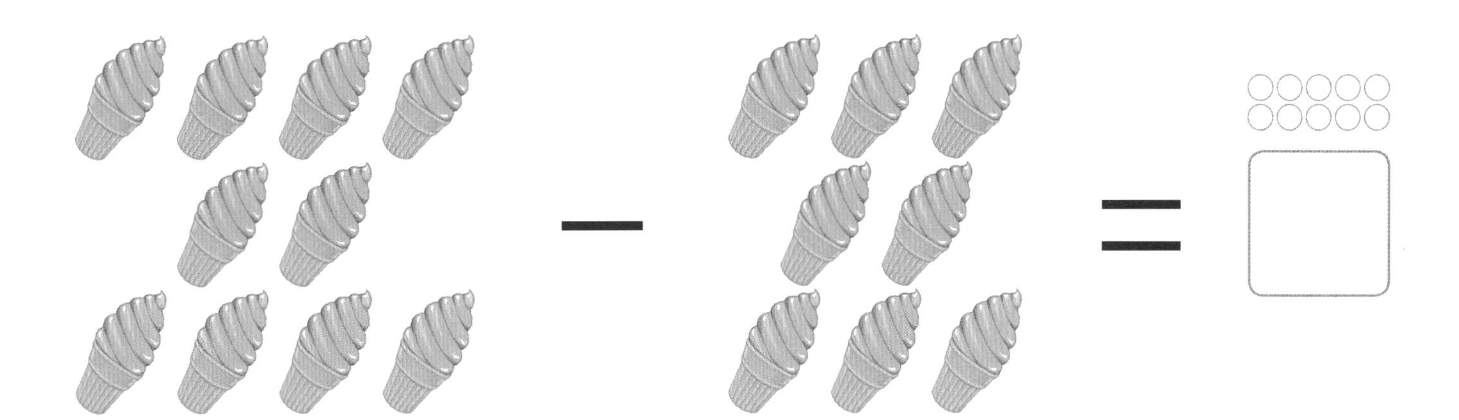

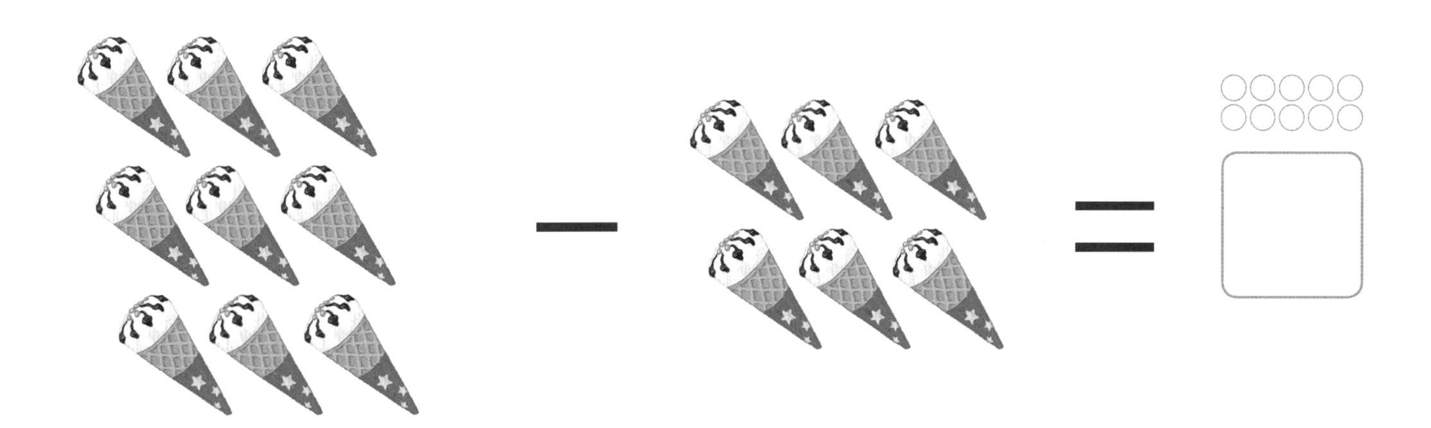

10까지의 수를 이용한 뺄셈을 그림으로 연습하세요.
― 앞의 수만큼 ○에 색칠하고, 이어서 ― 뒤의 수만큼 ×표 하면 남은 부분이 뺄셈식의 결과가 돼요.

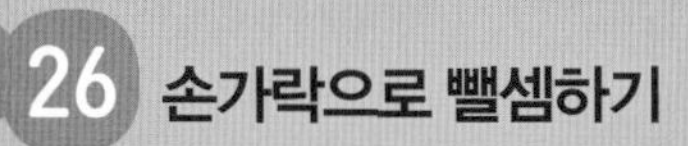

손가락을 이용하여 식을 완성해요

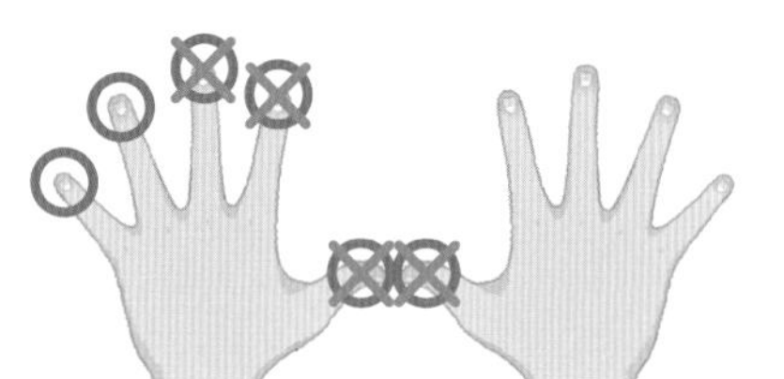

빼기 는

6 − 4 = 2

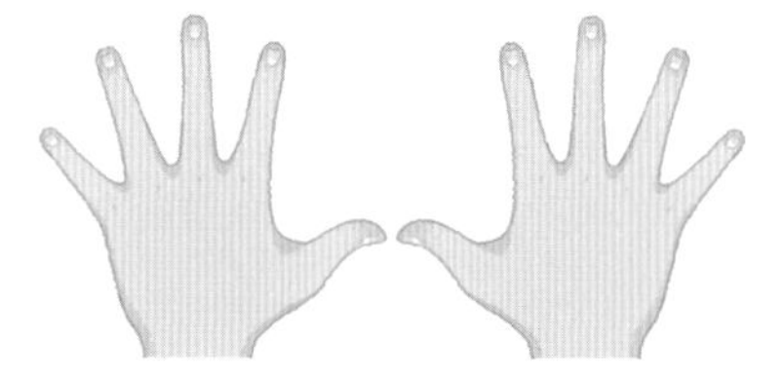

빼기 는

7 − 2 = □

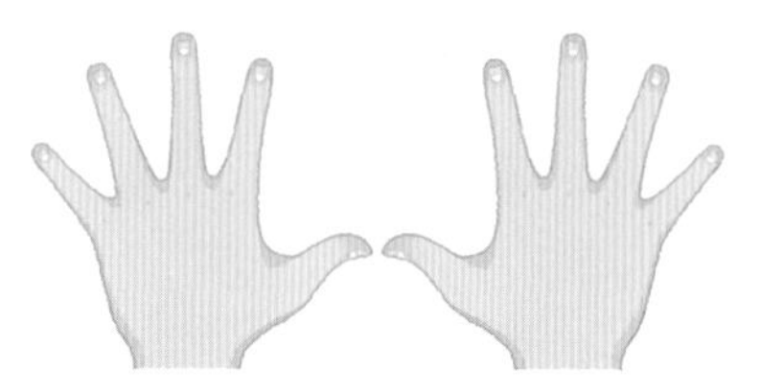

빼기 은

10 − 3 = □

정답 111쪽

손가락을 이용하여 식을 완성해요

그리고 수 쓰기
3

빼기 은

7 − 6 = □

빼기 은

9 − 0 = □

빼기 은

8 − 6 = 

Guide − 앞의 수만큼 손가락에 ○표 하고, 이어서 − 뒤의 수만큼 ×표 하면 남은 부분이 뺄셈식의 결과가 된다고 알려주세요.

터진 풍선의 수를 빼요

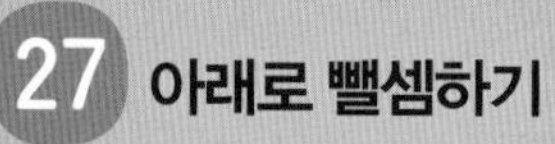

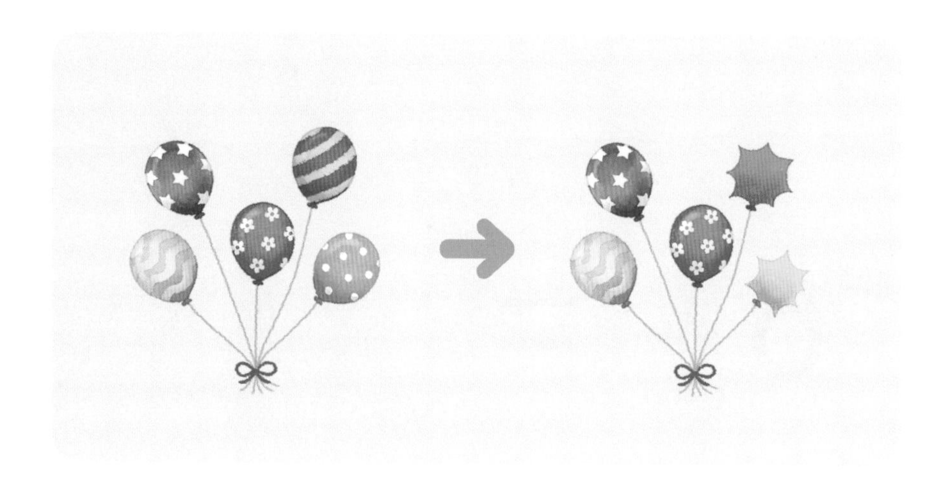

$$\begin{array}{r} 5 \\ -\ 2 \\ \hline \boxed{3} \end{array}$$

$$\begin{array}{r} 6 \\ -\ 1 \\ \hline \boxed{} \end{array}$$

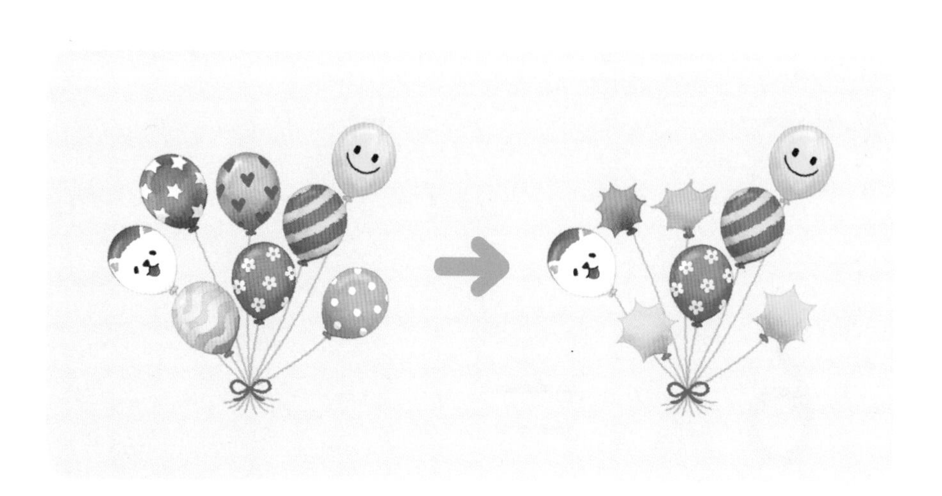

$$\begin{array}{r} 8 \\ -\ 4 \\ \hline \boxed{} \end{array}$$

정답 111쪽

터진 풍선의 수를 빼요

  7
− 4
―――
☐

  8
− 6
―――
☐

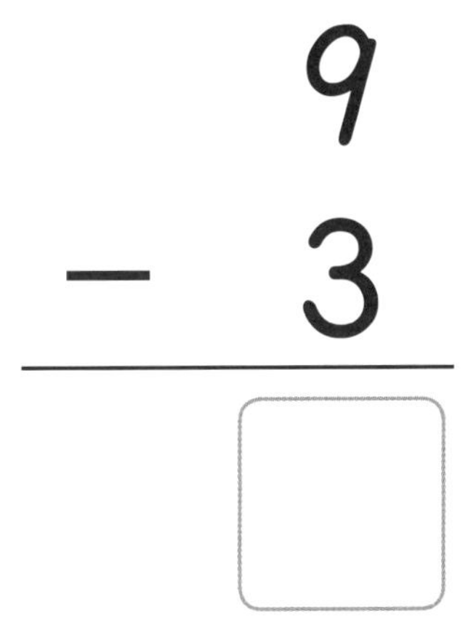

  9
− 3
―――
☐

Guide 세로로 쓰는 뺄셈식을 익혀요.
가로로 쓴 뺄셈식에서 − 뒤의 수를 아래쪽에 나타낸 식으로 계산 방법은 똑같아요.

계절이 다른 사람을 찾아요

어떤 옷을 입었는지, 무엇을 들고 있는지 비교해 보세요.

계절이 다른 사람에 ◯표 하세요.

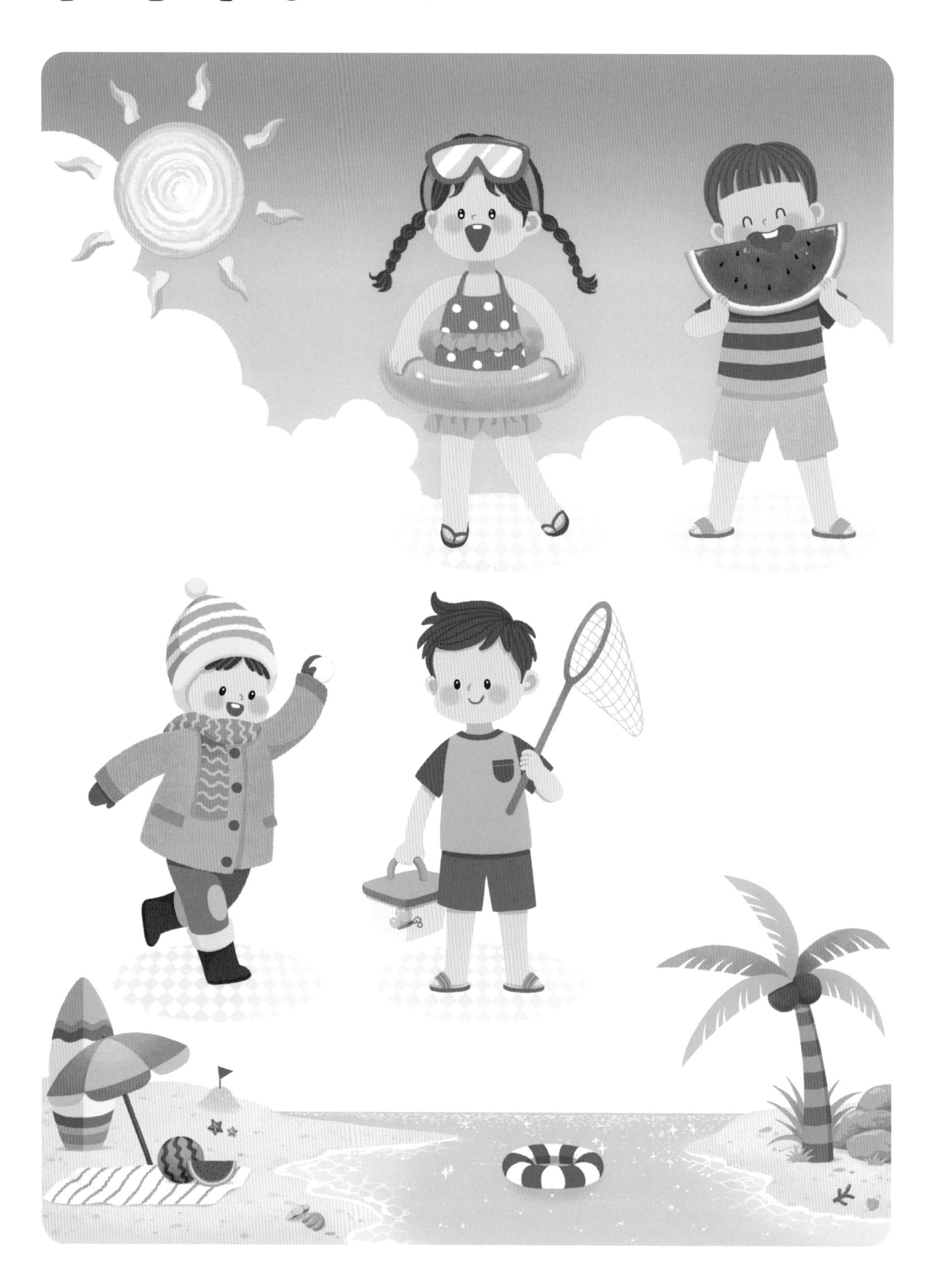

3과정

15까지의 셈

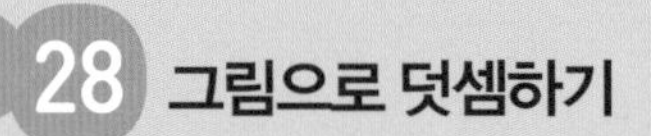

28 그림으로 덧셈하기

주사위 눈의 수를 더해요

$6 + 7 =$ 13

$5 + 7 =$ ☐

$7 + 8 =$ ☐

 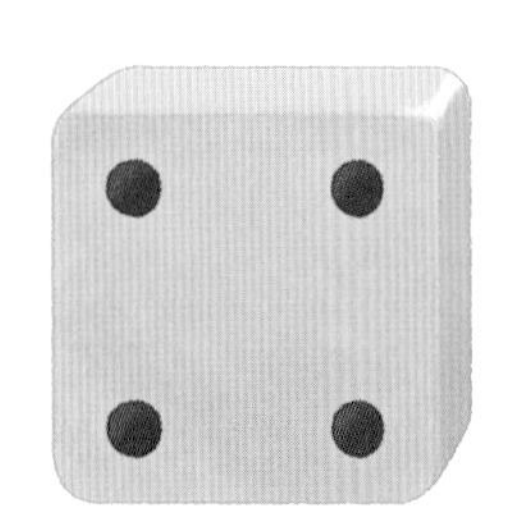

$8 + 4 =$ ☐

정답 112쪽

주사위 눈의 수를 더해요

$4+8=$ □

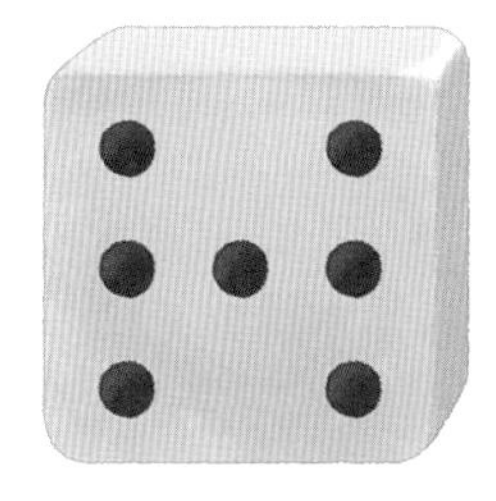
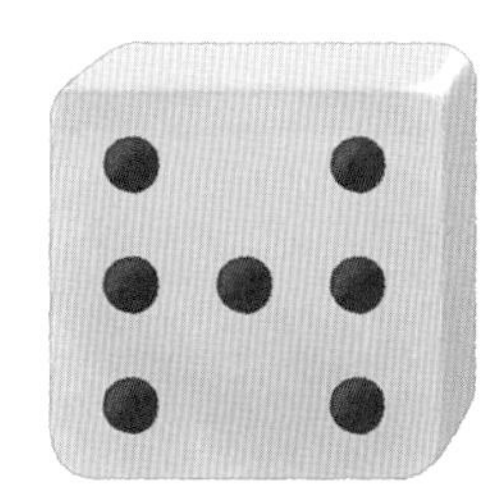

$7+7=$ □

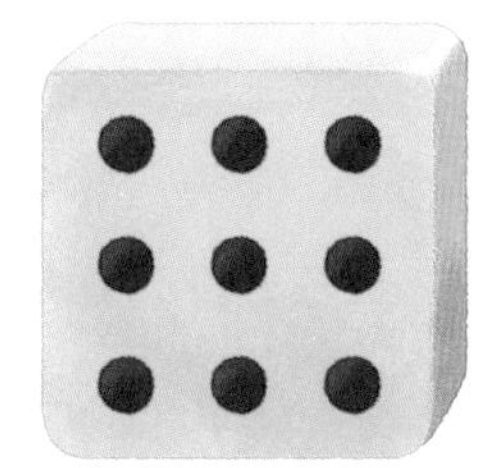

$9+5=$ □

$6+9=$ □

Guide 주사위 눈을 직접 가리키면서 이어 세기로 덧셈을 연습하세요.
예를 들어 6+7의 경우 6까지는 셀 필요없이 7부터 7-8-9-10-11-12-13으로 이어 세면 돼요.

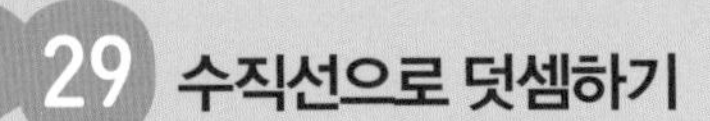

화살표를 그려서 덧셈을 해요

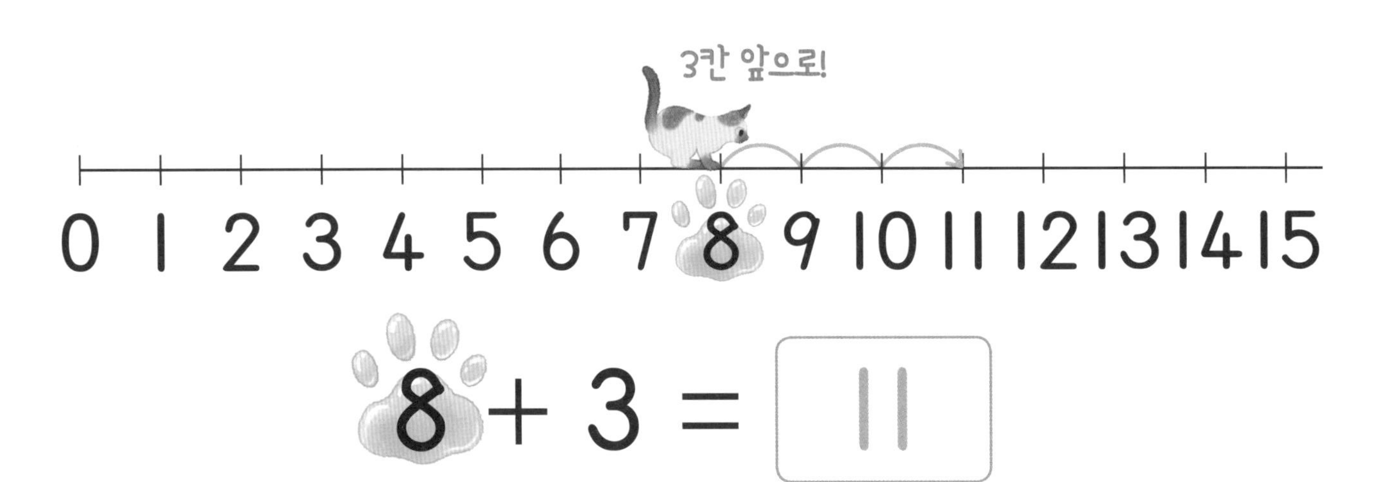

$8 + 3 =$ 11

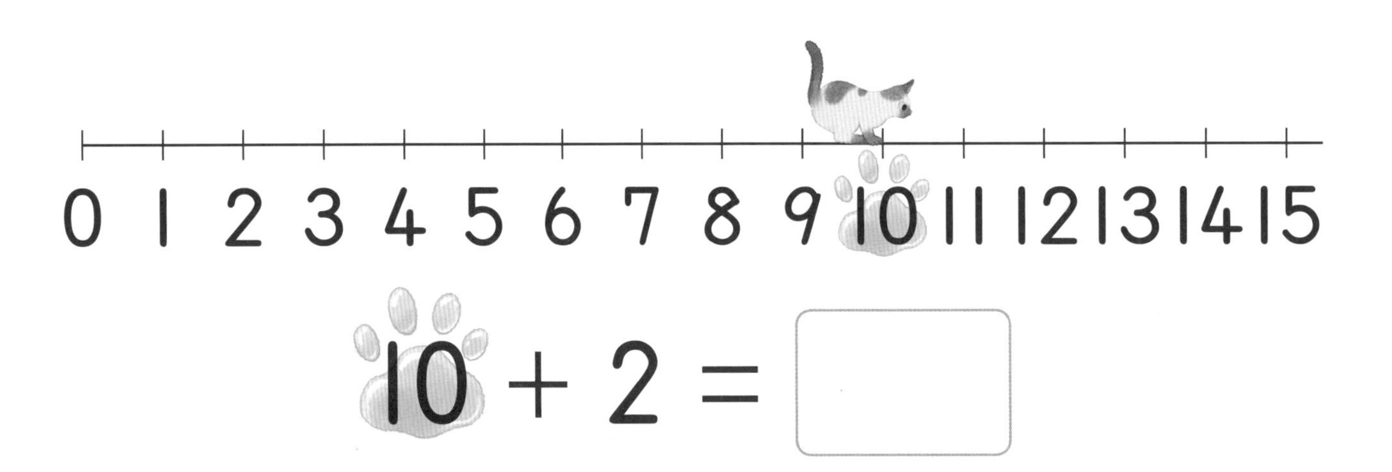

$10 + 2 =$ ☐

0 1 2 3 4 5 6 7 8 9 10 11 12 13 14 15

$6 + 8 =$ ☐

정답 112쪽

화살표를 그려서 덧셈을 해요

9 + 4 = □

0 1 2 3 4 5 6 7 8 9 10 11 12 13 14 15

7 + 6 = □

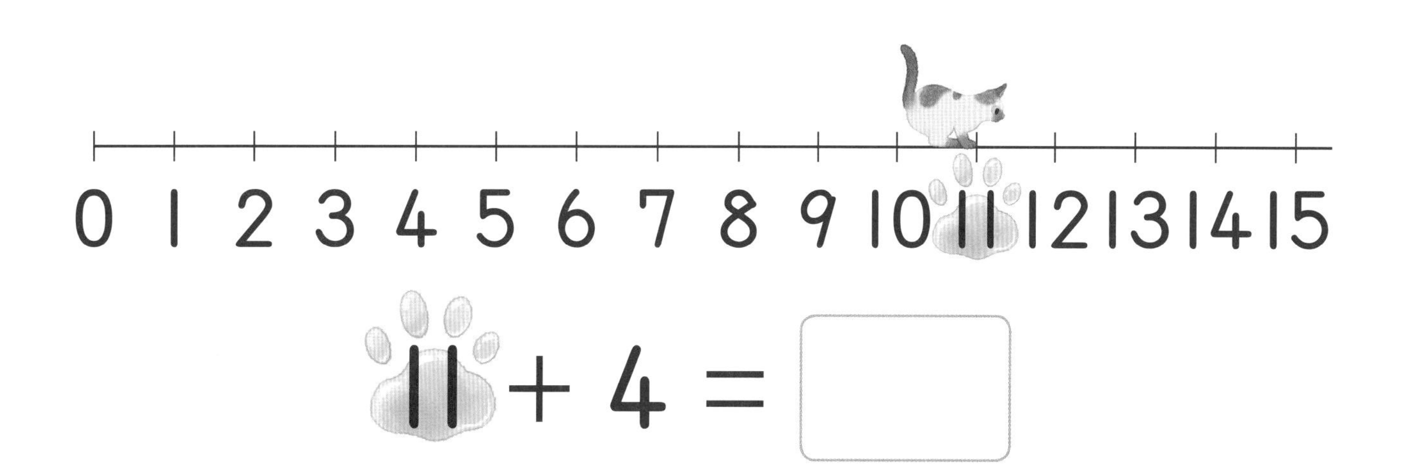

덧셈이므로 고양이는 수가 커지는 방향으로 뛰려고 해요. + 앞의 수에서 출발하여 + 뒤의 수만큼 화살표로 표시하고 도착한 수를 써요. 덧셈 결과가 10보다 큰 경우도 이어 세기로 구할 수 있어요.

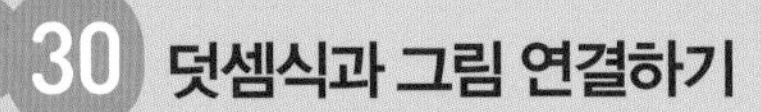

덧셈식과 그림을 연결해요

2 + 4

6 + 5

3 + 11

4 + 9

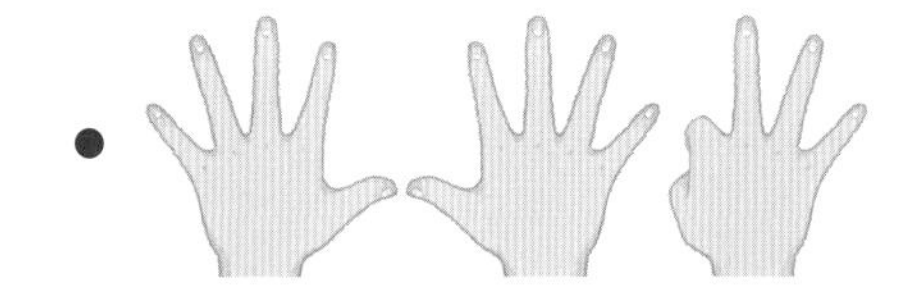

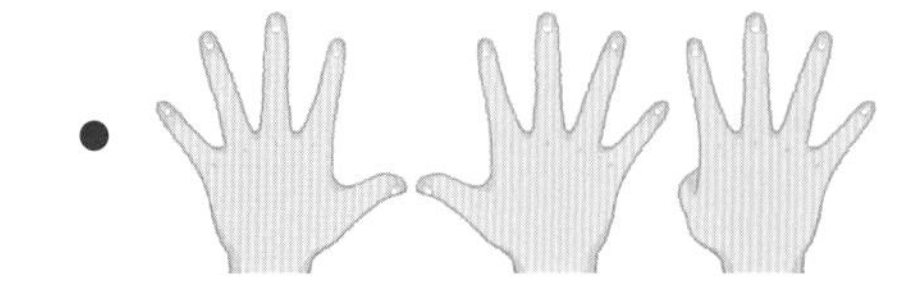

정답 113쪽

수를 세어 쓰고 덧셈식의 결과를 찾아요

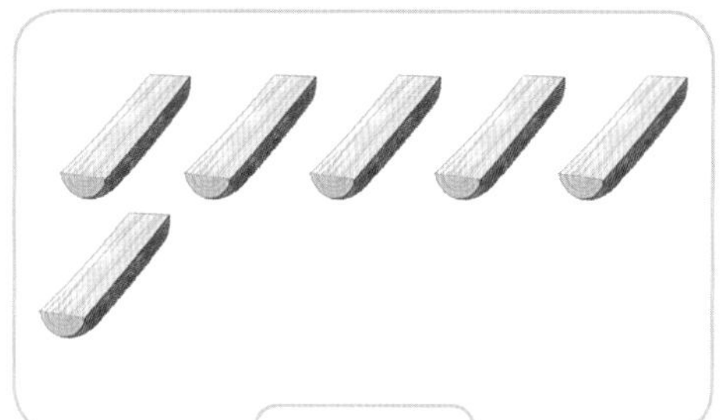

6

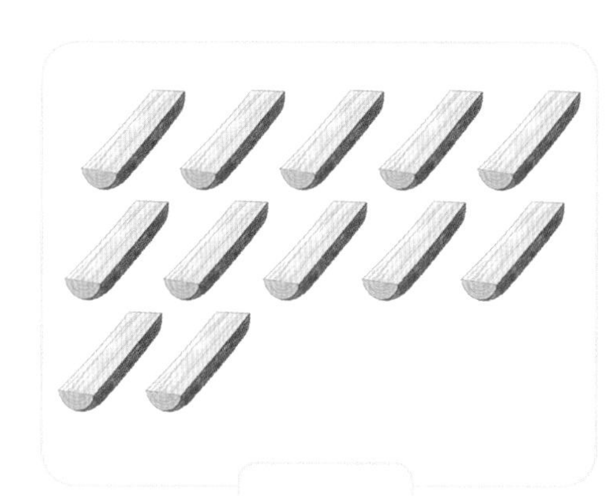

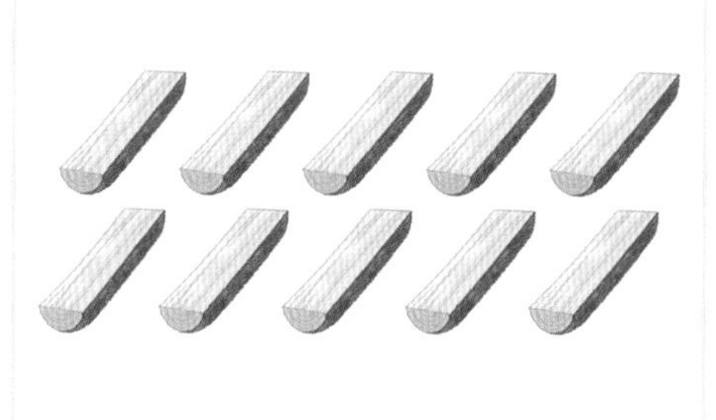

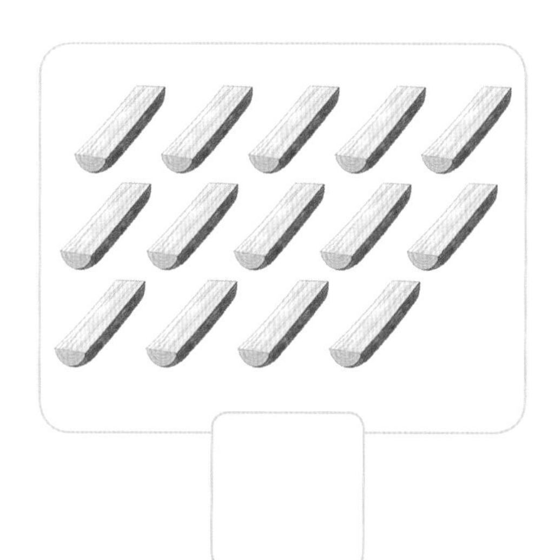

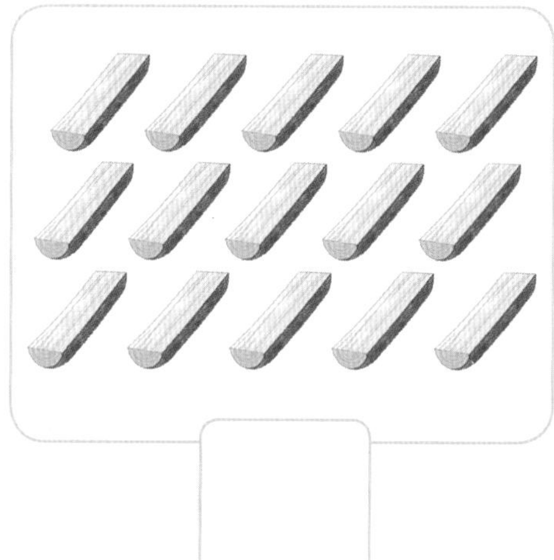

이어 세기로 덧셈을 하고 결과와 같은 그림을 찾아요.
손가락으로 덧셈을 할 때 10이 넘어가면 발이나 다른 사람 손을 사용해도 된다고 알려주세요.

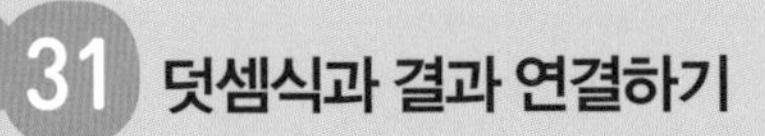

덧셈식과 답을 연결해요

$5+6$ $9+3$ $8+6$

14 11 12

정답 113쪽

덧셈식의 결과에 뿅망치를 붙여요

이어 세기로 덧셈을 하고 결과를 찾아 선으로 잇거나 붙임딱지를 붙여요.
덧셈을 활동으로 재미있게 익히고 큰 수의 덧셈도 익숙해지도록 연습하세요.

원숭이가 먹은 바나나 수를 빼요

$12 - 3 =$ 9

$14 - 2 =$ ☐

$13 - 5 =$ ☐

정답 114쪽

원숭이가 먹은 바나나 수를 빼요

10 − 5 = ☐

11 − 4 = ☐

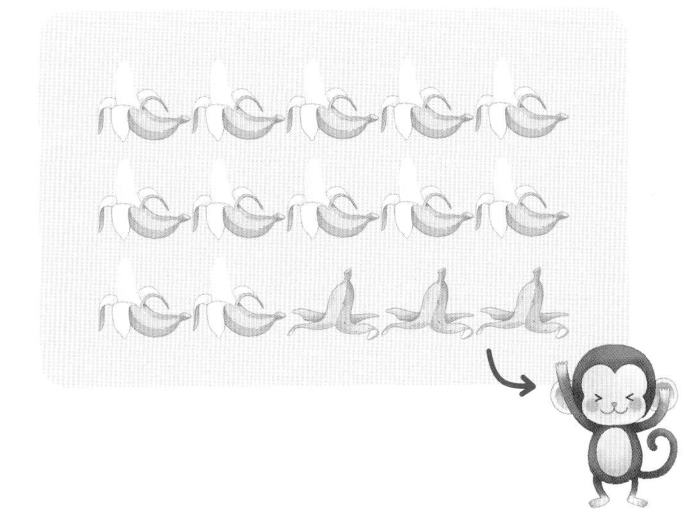

15 − 3 = ☐

Guide 먹은 바나나 수만큼 ×표로 지우면서 거꾸로 세어 남은 수를 구해요.
예를 들어 12 − 3은 바나나 3개를 지우면서 12부터 시작하여 1씩 작게 11 − 10 − 9로 거꾸로 세면 돼요.

화살표를 그려서 뺄셈을 해요

5칸 앞으로!

0 1 2 3 4 5 6 7 8 9 10 11 12 13 14 15

14 − 5 = 9

0 1 2 3 4 5 6 7 8 9 10 11 12 13 14 15

11 − 7 = □

0 1 2 3 4 5 6 7 8 9 10 11 12 13 14 15

12 − 4 = □

정답 114쪽

화살표를 그려서 뺄셈을 해요

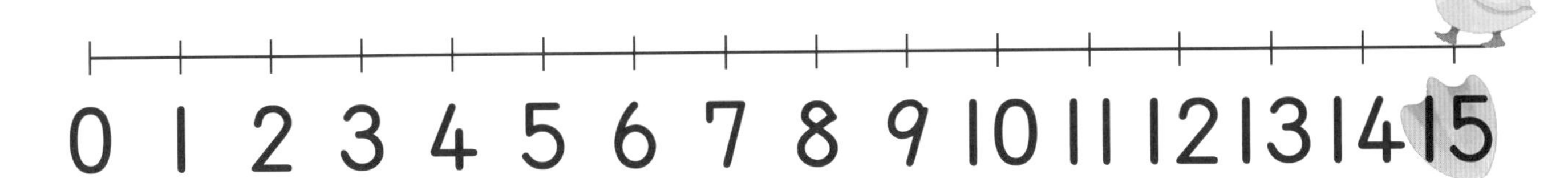

15 − 4 = □

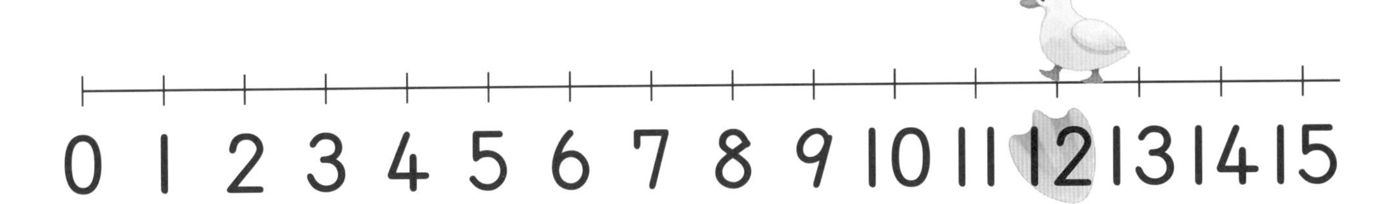

12 − 5 = □

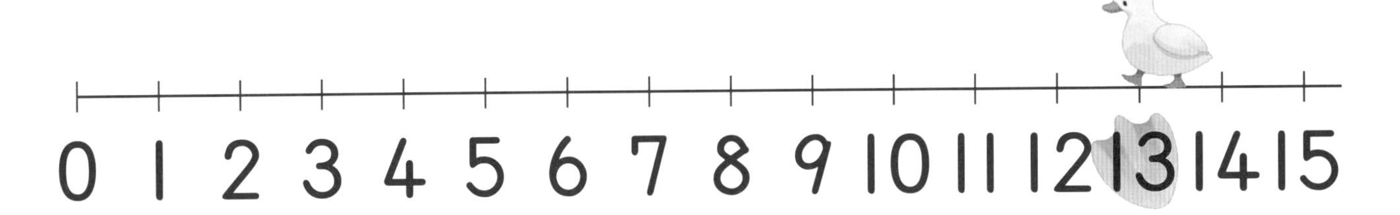

13 − 6 = □

− 앞의 수에서 출발하여 오리가 뛰려는 방향으로 − 뒤의 수만큼 화살표로 표시하고 도착한 수를 써요.
큰 수의 뺄셈도 거꾸로 세기로 구할 수 있다고 알려주세요.

뺄셈식과 그림을 연결해요

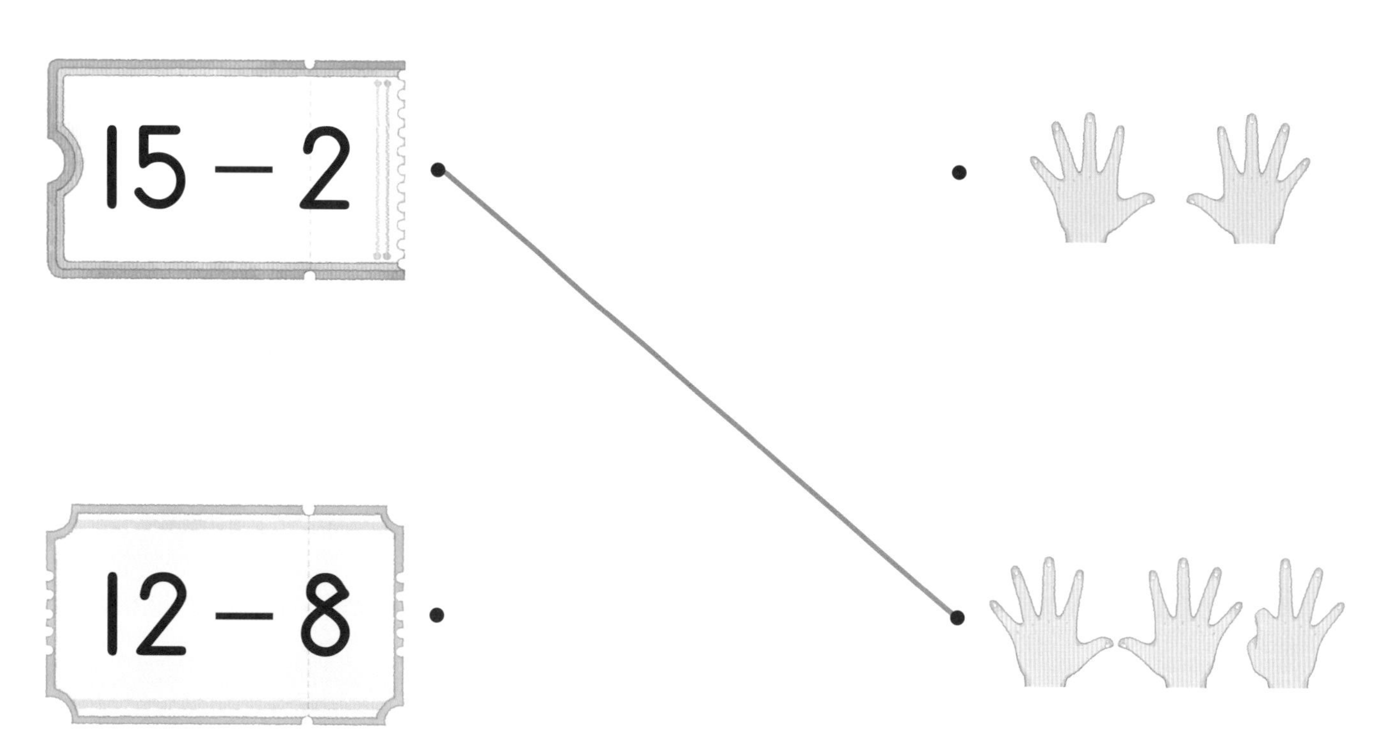

10 − 4

13 − 3

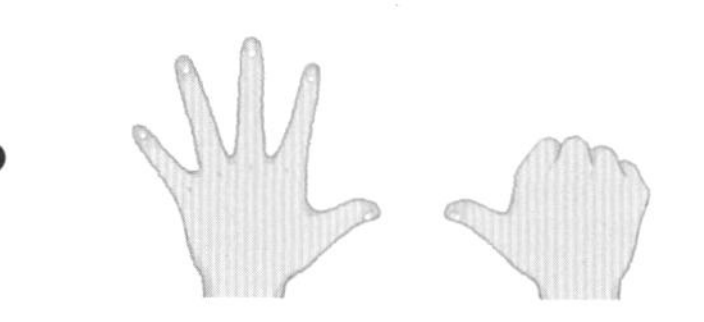

정답 115쪽

수를 세어 쓰고 뺄셈식의 결과를 찾아요

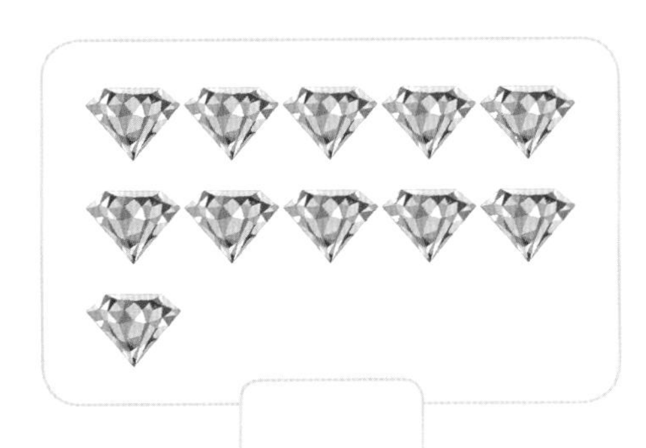

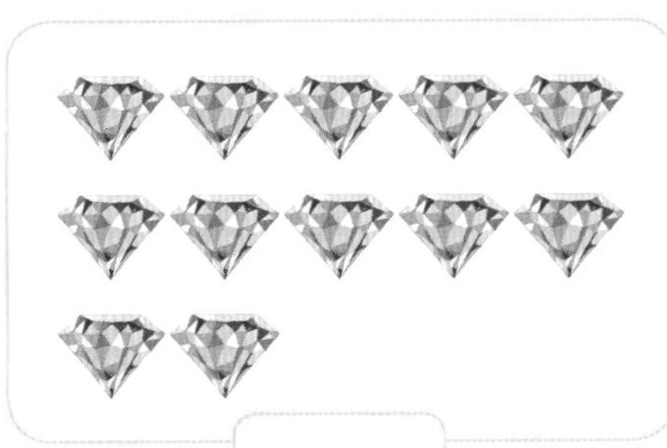

Guide 거꾸로 세기로 뺄셈을 하고 결과와 같은 그림을 찾아요.
손가락으로 뺄셈을 할 때 10보다 큰 수가 나오면 발이나 다른 사람 손을 사용해도 된다고 알려주세요.

35 뺄셈식과 결과 연결하기

뺄셈식과 답을 연결해요

12 − 1　　11 − 3　　15 − 6

정답 115쪽

뺄셈식의 결과에 개구리를 붙여요

거꾸로 세기로 뺄셈을 하고 결과를 찾아 선으로 잇거나 붙임딱지를 붙여요.
뺄셈을 활동으로 재미있게 익히고 큰 수의 뺄셈도 익숙해지도록 연습하세요.

마주 보게 색칠해요

점선을 따라 종이를 접으면 그림이 겹쳐지도록 색칠하세요.

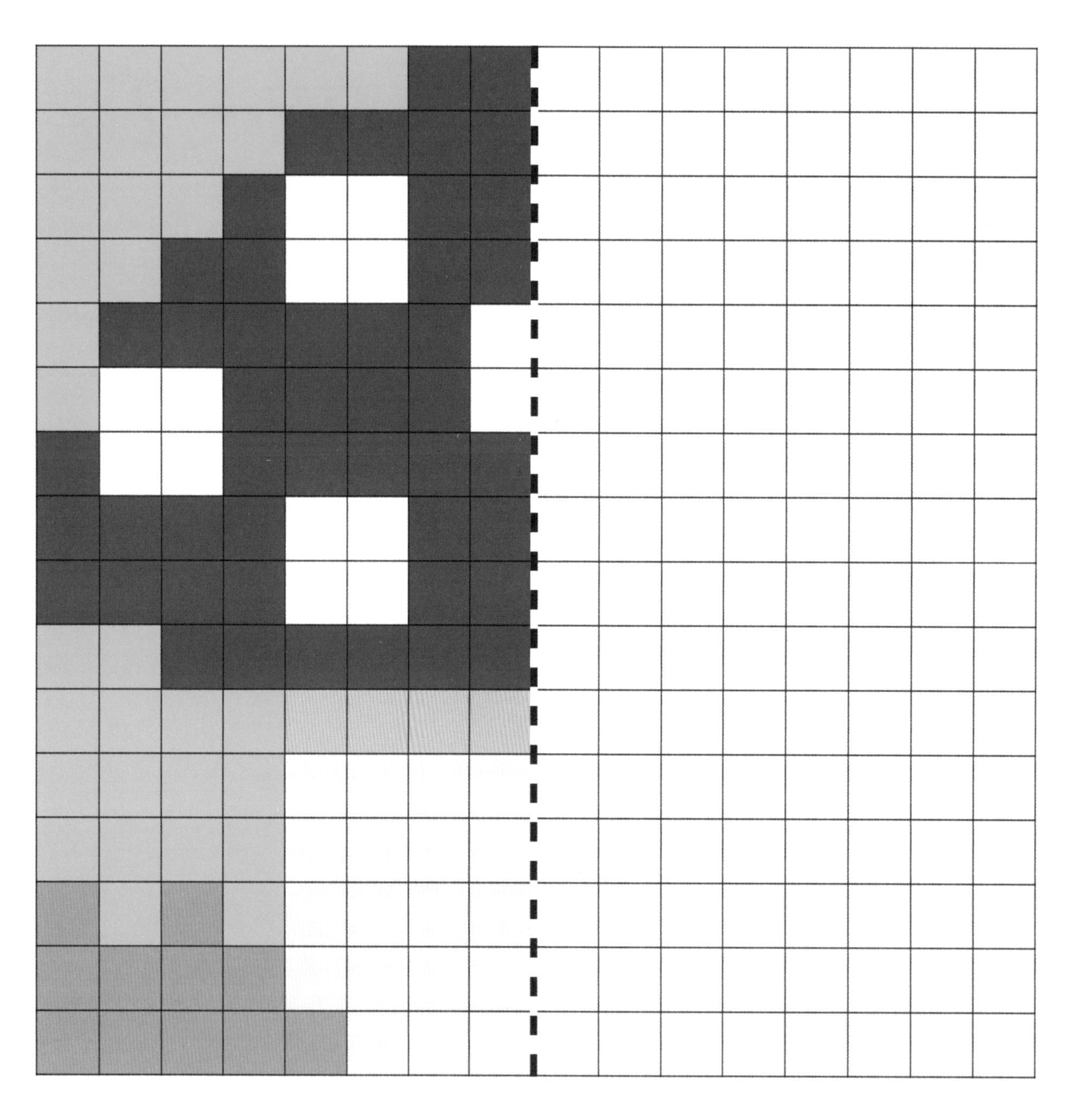

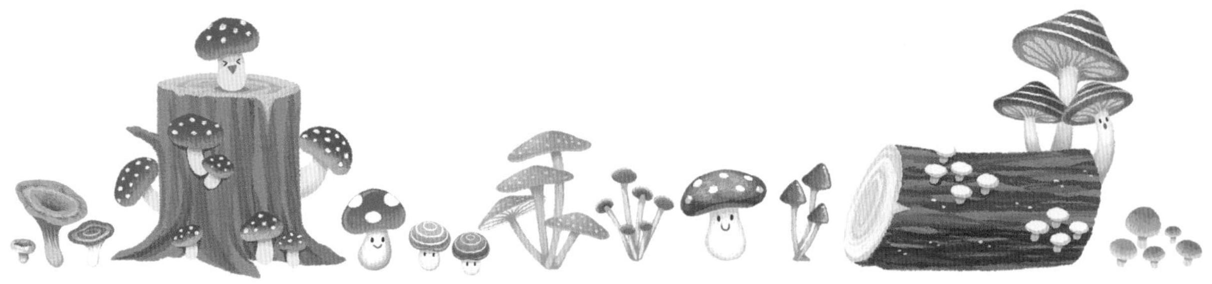

4 과정

20까지의 셈

그림을 묶어서 더해요

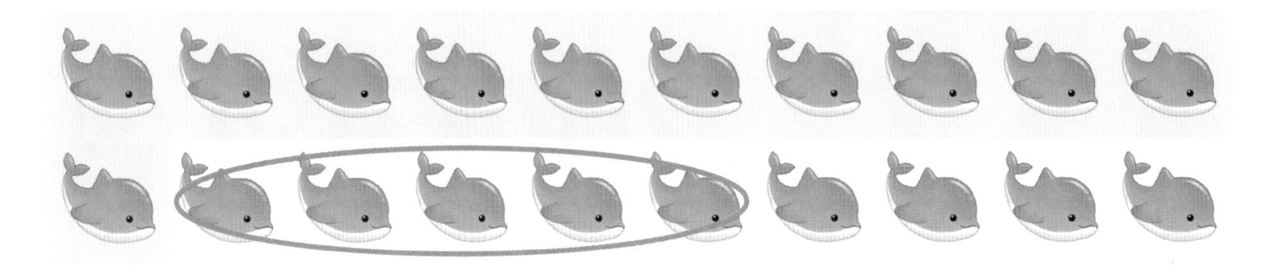

$11 + 5 =$ 16

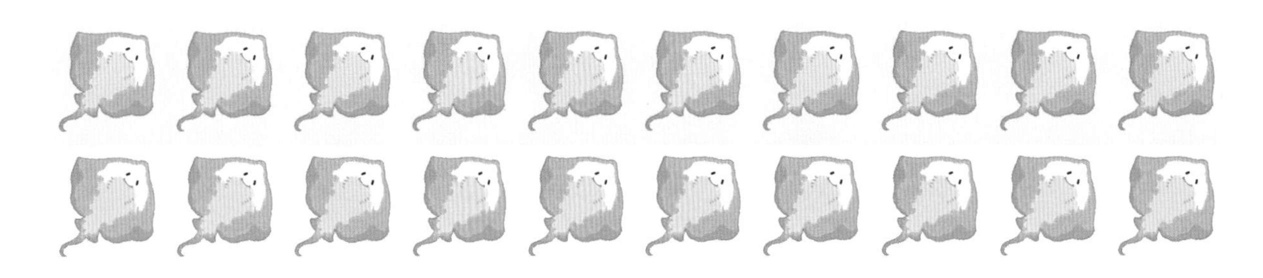

$10 + 7 =$ ☐

$14 + 6 =$ ☐

정답 116쪽

그림을 묶어서 더해요

$9 + 9 = \square$

$13 + 5 = \square$

$12 + 8 = \square$

Guide 큰 수의 덧셈을 이어 세기로 계산할 수 있도록 도와주세요. + 뒤의 수만큼 묶은 다음 모두 몇인지 이어 세면 돼요. 15까지의 덧셈과 같은 방법으로 더한다면 20까지의 덧셈도 어렵지 않아요.

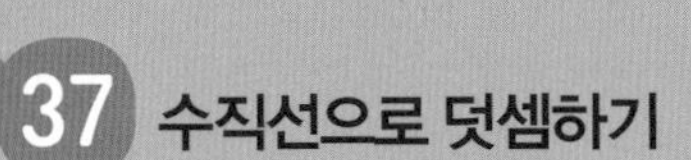

화살표를 그려서 덧셈을 해요

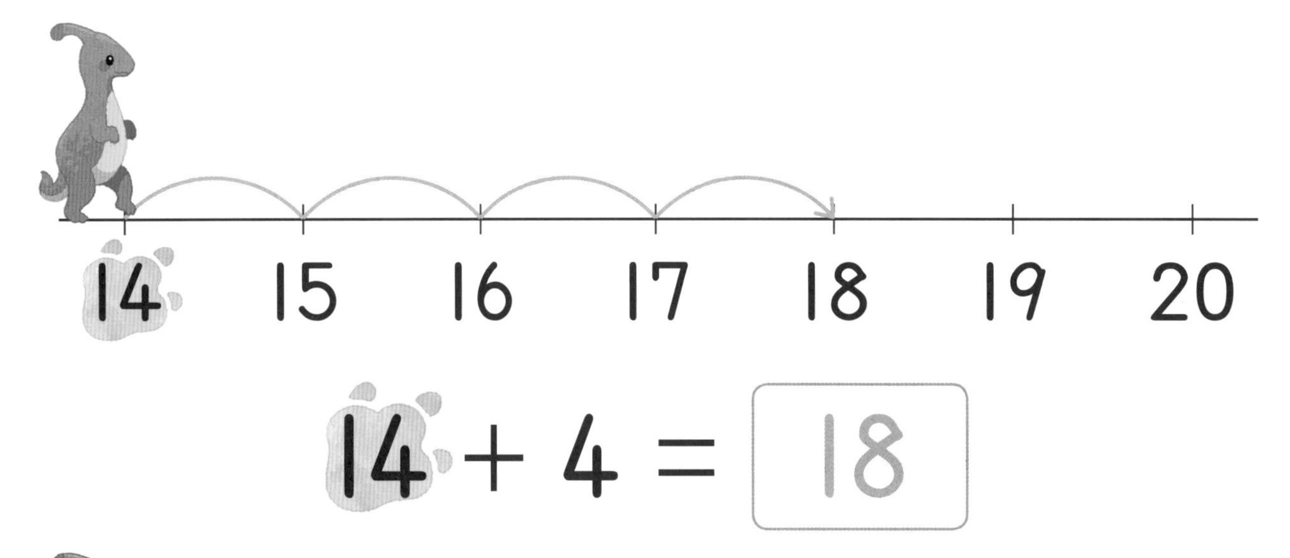

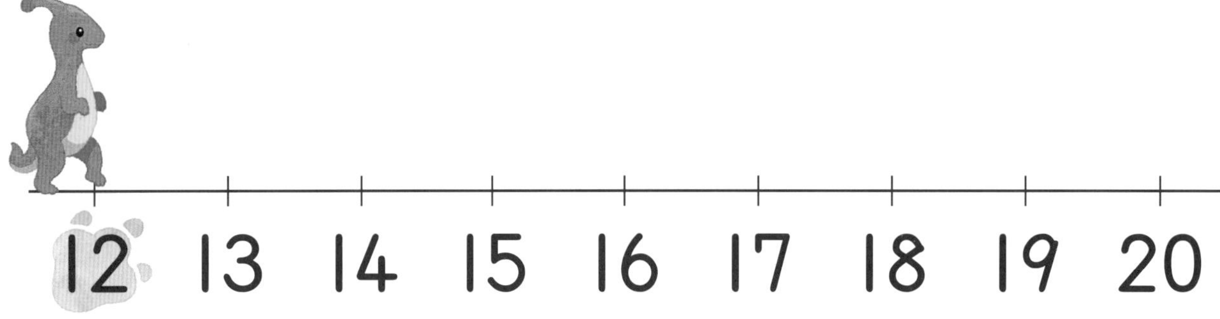

$12 + 5 = \square$

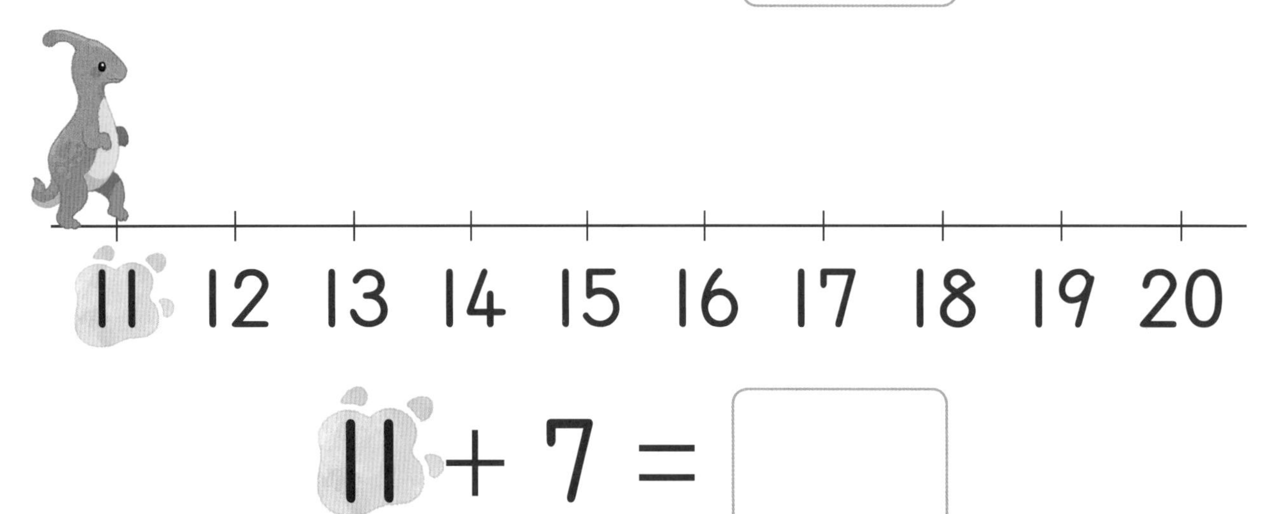

정답 116쪽

화살표를 그려서 덧셈을 해요

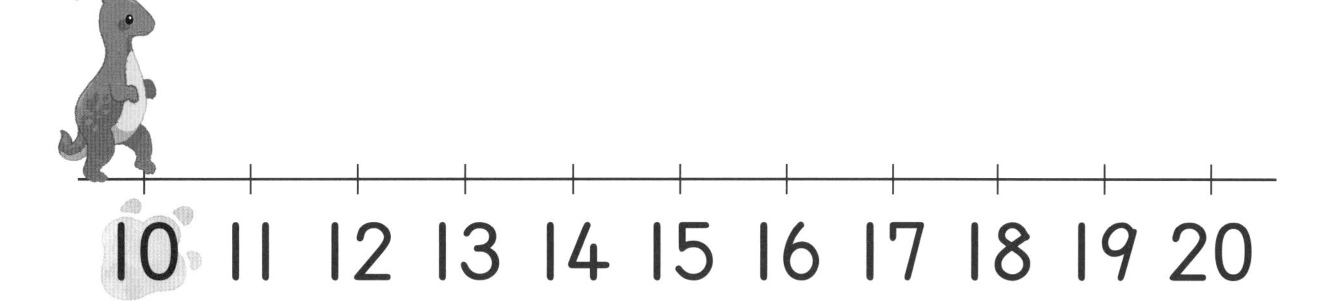

10 11 12 13 14 15 16 17 18 19 20

10 + 9 = □

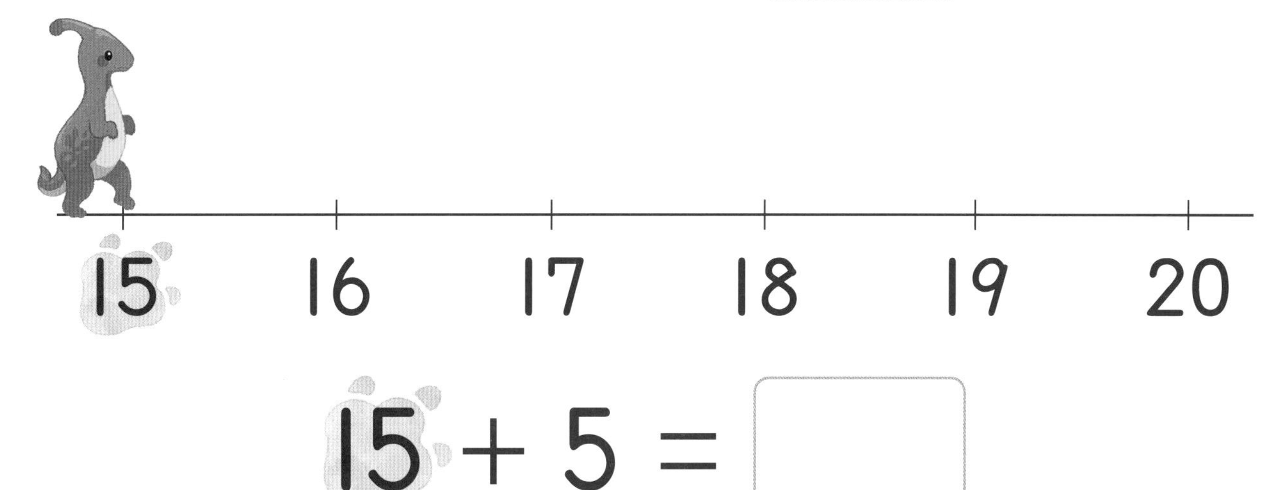

15 16 17 18 19 20

15 + 5 = □

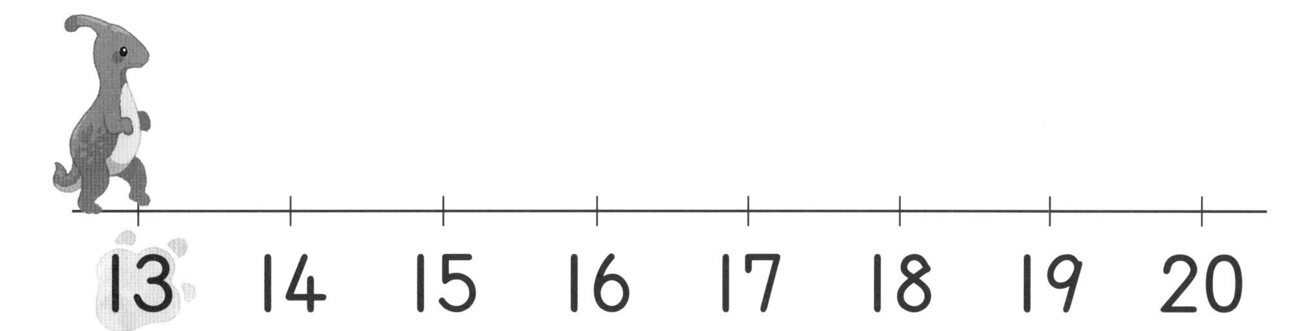

13 14 15 16 17 18 19 20

13 + 4 = □

수직선을 이용하여 큰 수의 덧셈을 익혀요.
+ 앞의 수에서 출발하여 + 뒤의 수만큼 화살표로 표시하면 도착한 수가 덧셈 결과가 된다고 알려주세요.

38 잘못된 덧셈식 찾기

틀린 답을 찾아요

$2+5=10$

$16+3=19$

$12+6=18$

$7+5=11$

$4+9=15$

$10+10=20$

정답 117쪽

덧셈 공부

맞은 개수 □ 개

(1) 3 + 4 = 5

(2) 9 + 1 = 10

(3) 11 + 5 = 16

(4) 14 + 3 = 17

(5) 8 + 10 = 19

Guide 덧셈식이 맞는지 틀린지 확인하며 덧셈을 자연스럽게 할 수 있도록 연습하세요.

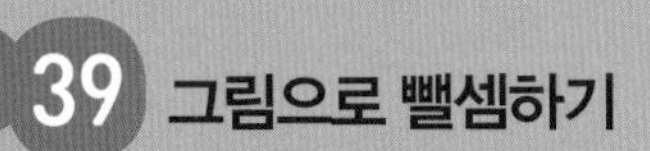

39 그림으로 뺄셈하기

그림을 지워서 빼요

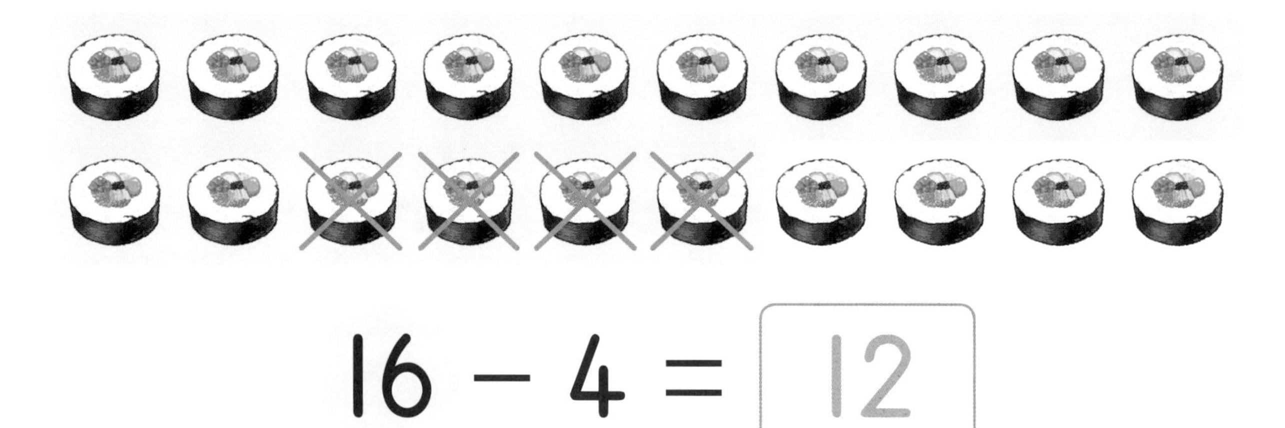

16 − 4 = 12

17 − 8 = ☐

18 − 3 = ☐

정답 117쪽

그림을 지워서 빼요

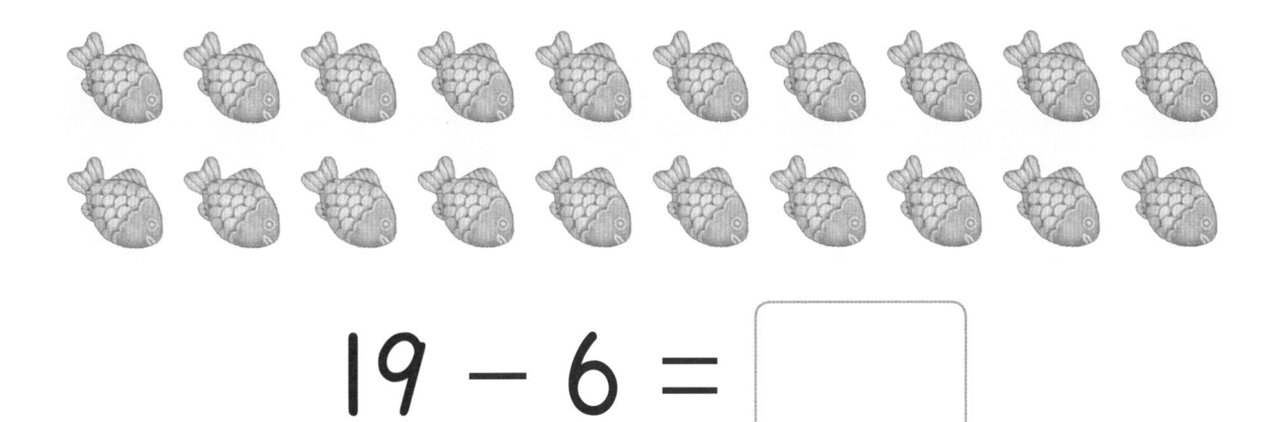

19 − 6 = ☐

15 − 10 = ☐

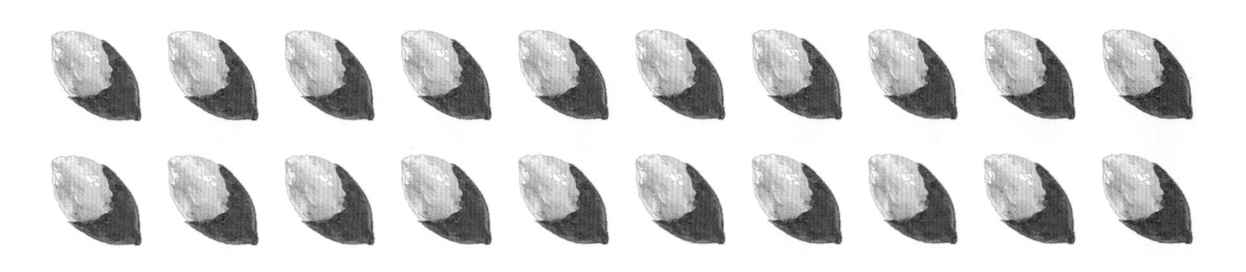

20 − 9 = ☐

Guide 큰 수의 뺄셈을 거꾸로 세기로 계산할 수 있도록 도와주세요. − 뒤의 수만큼 ×표 하고 남은 수를 세거나, ×표 하면서 거꾸로 세면 돼요. 15까지의 뺄셈과 같은 방법으로 빼면 20까지의 뺄셈도 어렵지 않아요.

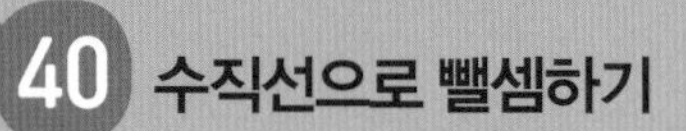

화살표를 그려서 뺄셈을 해요

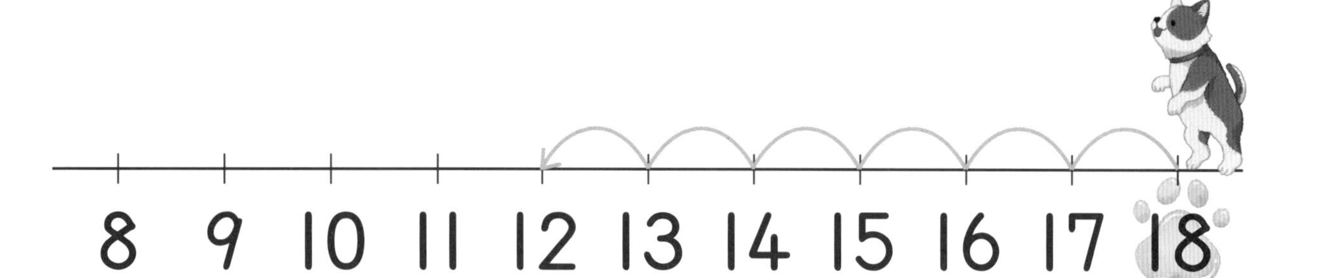

8 9 10 11 12 13 14 15 16 17 18

18 − 6 = 12

6 7 8 9 10 11 12 13 14 15 16

16 − 5 = ☐

10 11 12 13 14 15 16 17 18 19 20

20 − 4 = ☐

정답 118쪽

화살표를 그려서 뺄셈을 해요

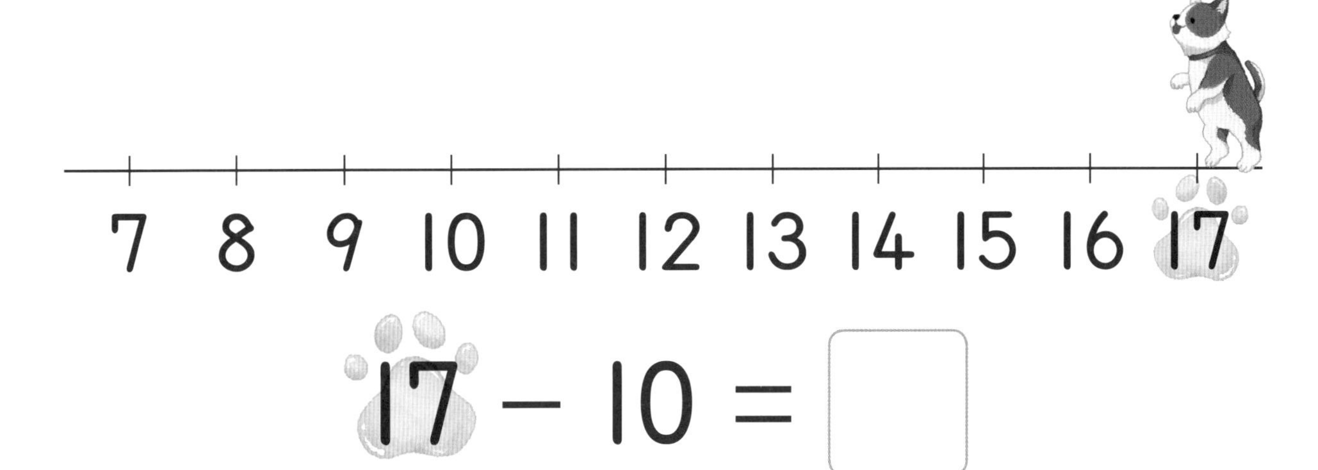

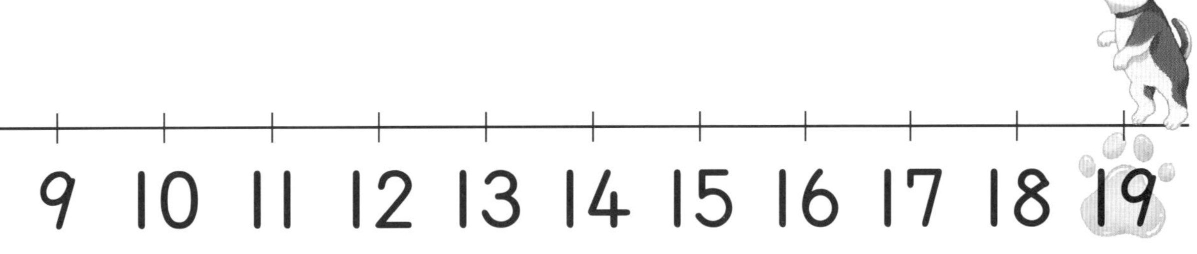

$19 - 7 = \square$

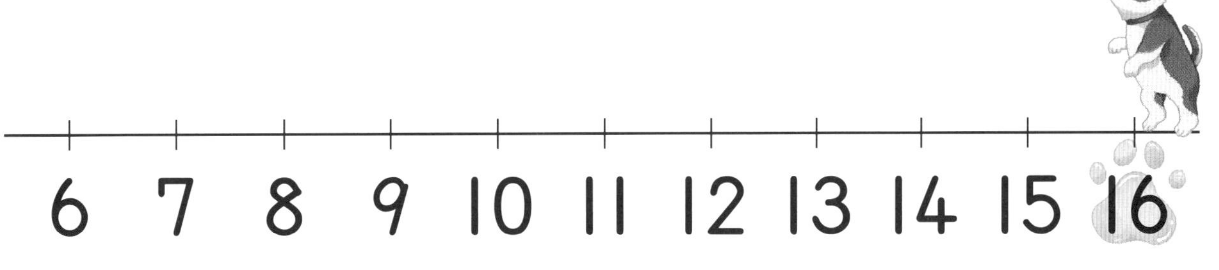

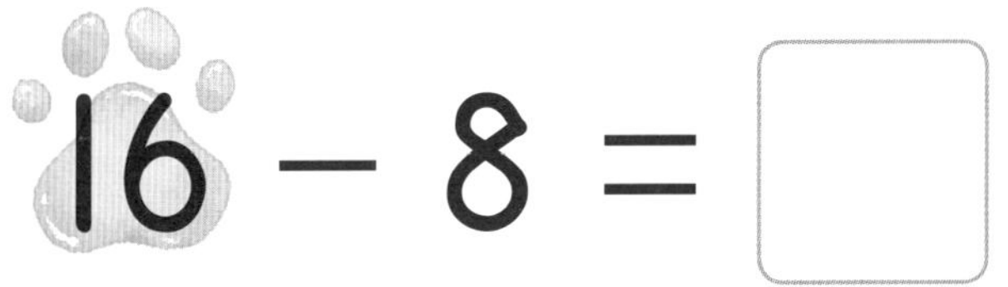

수직선을 이용하여 큰 수의 뺄셈을 익혀요.
− 앞의 수에서 출발하여 − 뒤의 수만큼 화살표로 표시하면 도착한 수가 뺄셈 결과가 된다고 알려주세요.

41 잘못된 뺄셈식 찾기

틀린 답을 찾아요

15 − 4 = 10

10 − 6 = 6

18 − 2 = 16

11 − 5 = 6

16 − 3 = 19

20 − 10 = 10

정답 118쪽

채점을 하고 맞은 개수를 써요

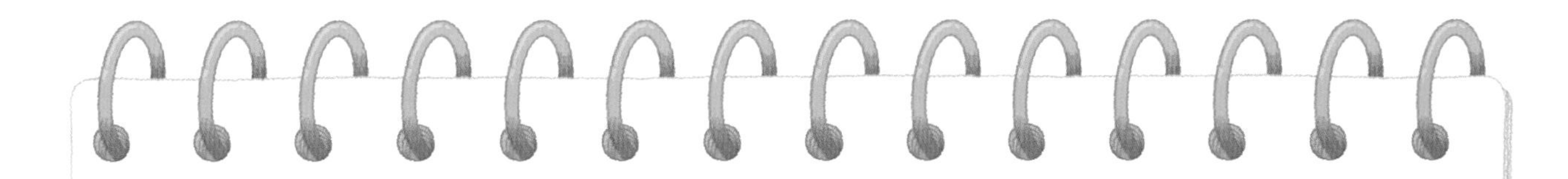

빼셈 공부

맞은 개수 ☐ 개

(1) $11 - 8 = 3$

(2) $17 - 9 = 9$

(3) $19 - 5 = 14$

(4) $15 - 6 = 9$

(5) $20 - 7 = 14$

Guide 뺄셈식이 맞는지 틀린지 확인하며 뺄셈을 자연스럽게 할 수 있도록 연습하세요.

빠진 그림을 찾아요

빈 곳에 알맞은 붙임딱지를 붙여 그림을 완성해 보세요.

정답

1 과정 5까지의 셈

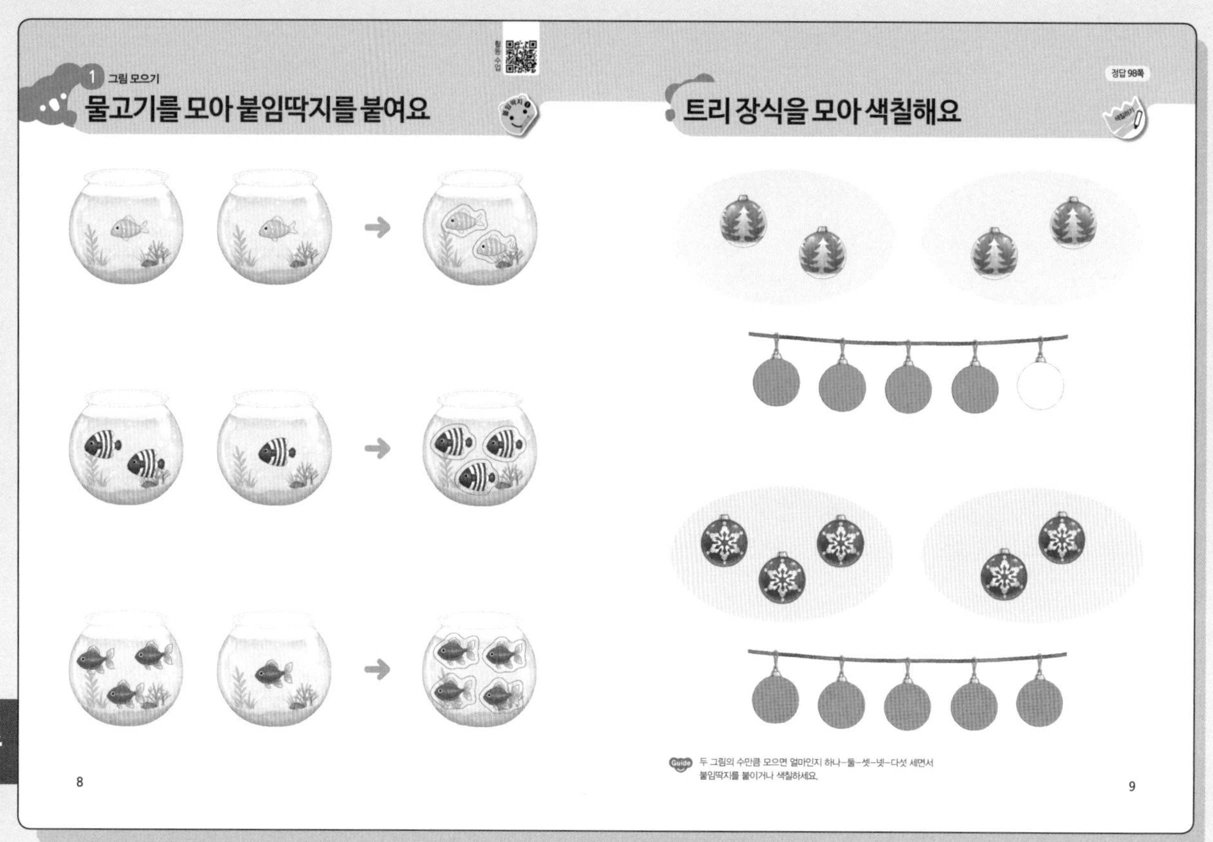

1 그림 모으기
물고기를 모아 붙임딱지를 붙여요
트리 장식을 모아 색칠해요
정답 98쪽
Guide 두 그림의 수만큼 모으면 얼마인지 하나–둘–셋–넷–다섯 세면서
붙임딱지를 붙이거나 색칠하세요.
8
9

8~9쪽

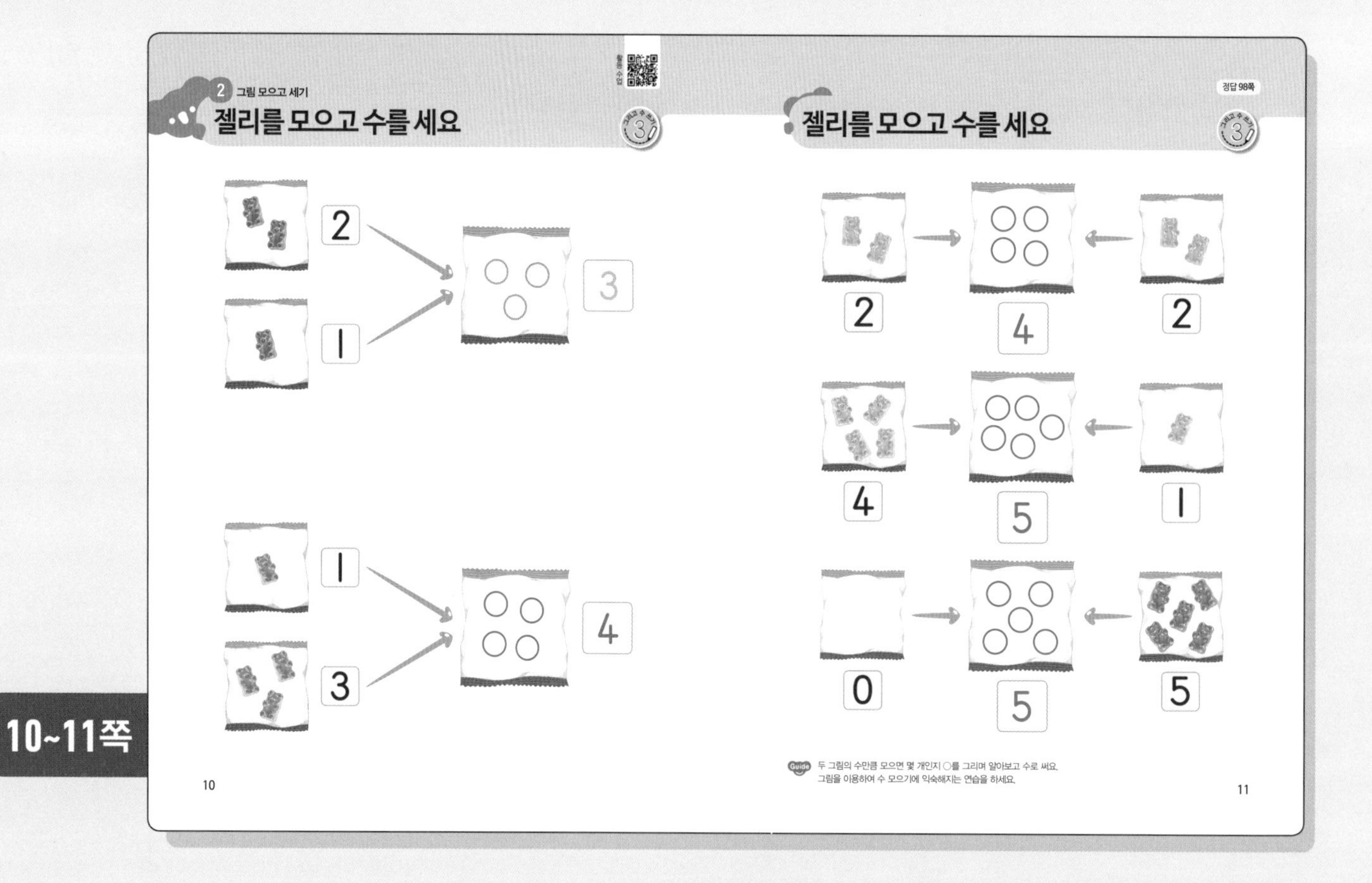

10~11쪽

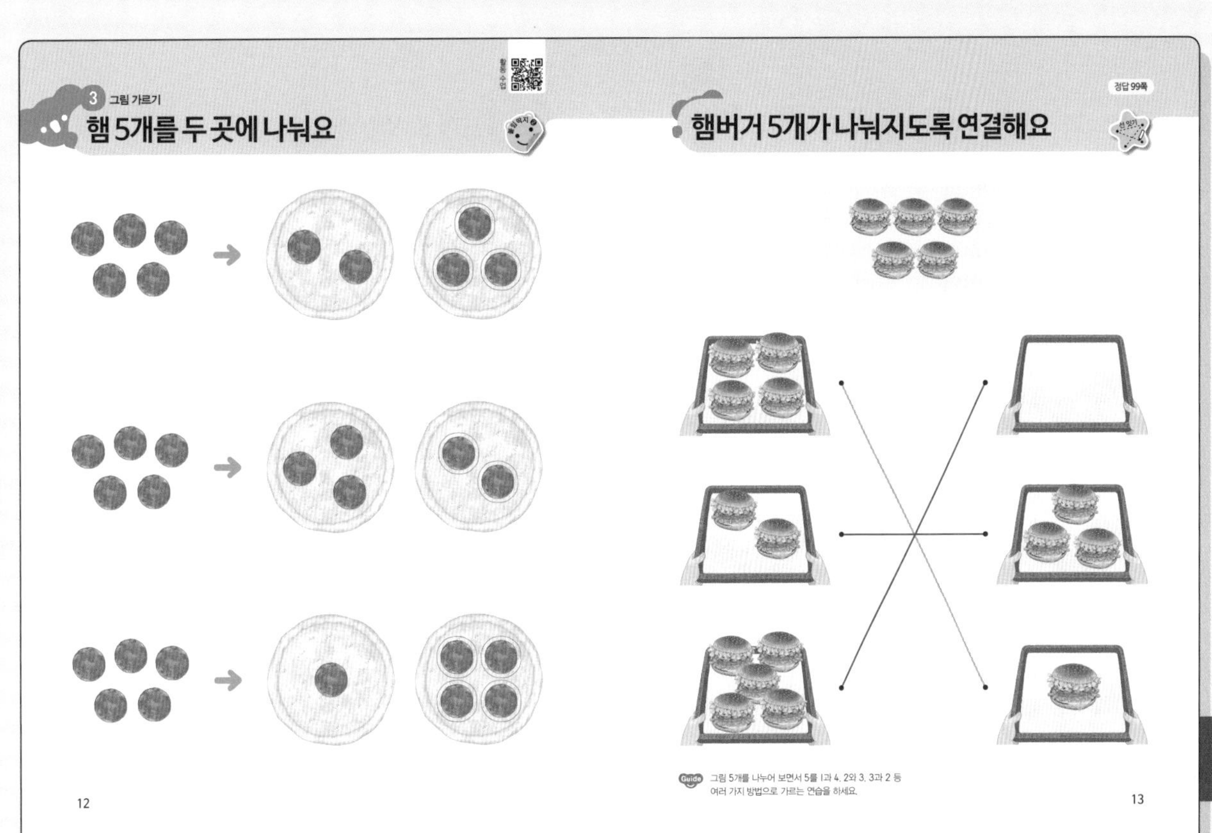

3 그림 가르기
햄 5개를 두 곳에 나눠요
햄버거 5개가 나눠지도록 연결해요
정답 99쪽
12
13

12~13쪽

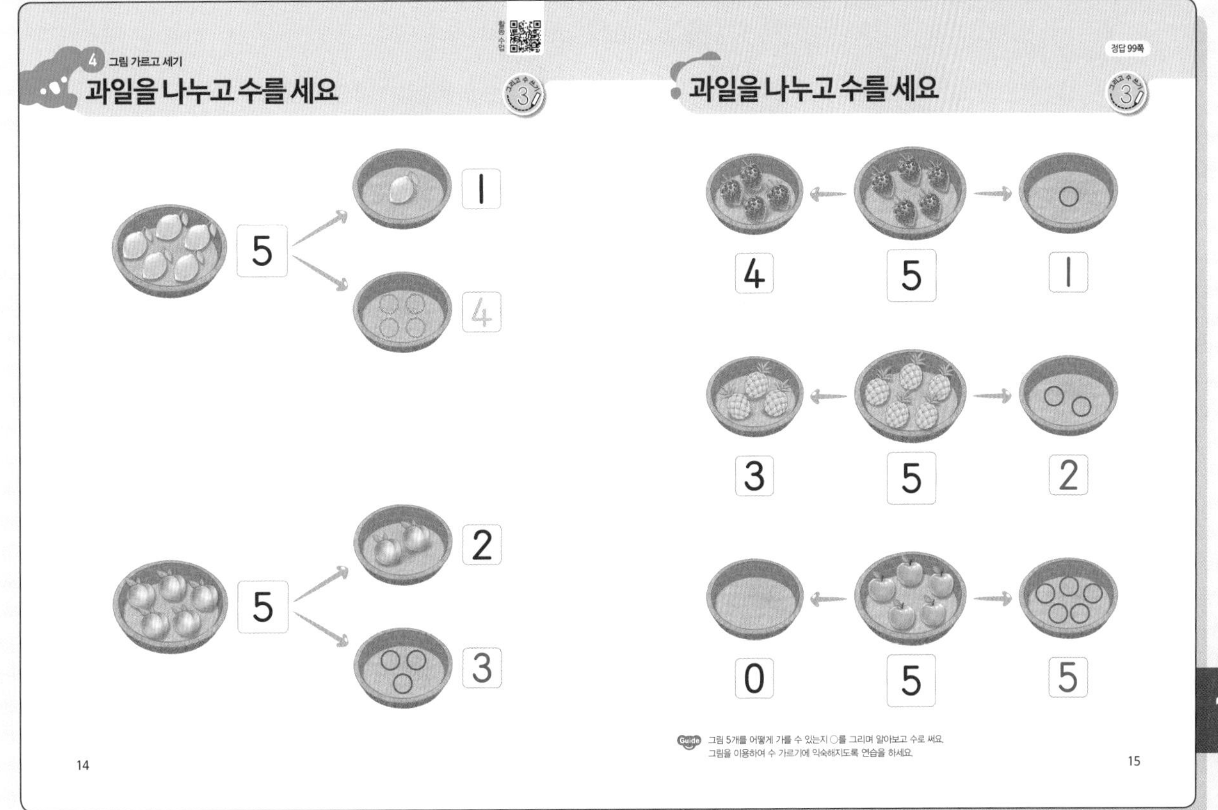

4 그림 가르고 세기
과일을 나누고 수를 세요
5
1
4
5
2
3
과일을 나누고 수를 세요
정답 99쪽
4
5
1
3
5
2
0
5
5
14
15

14~15쪽

1 과정 5까지의 셈

16~17쪽

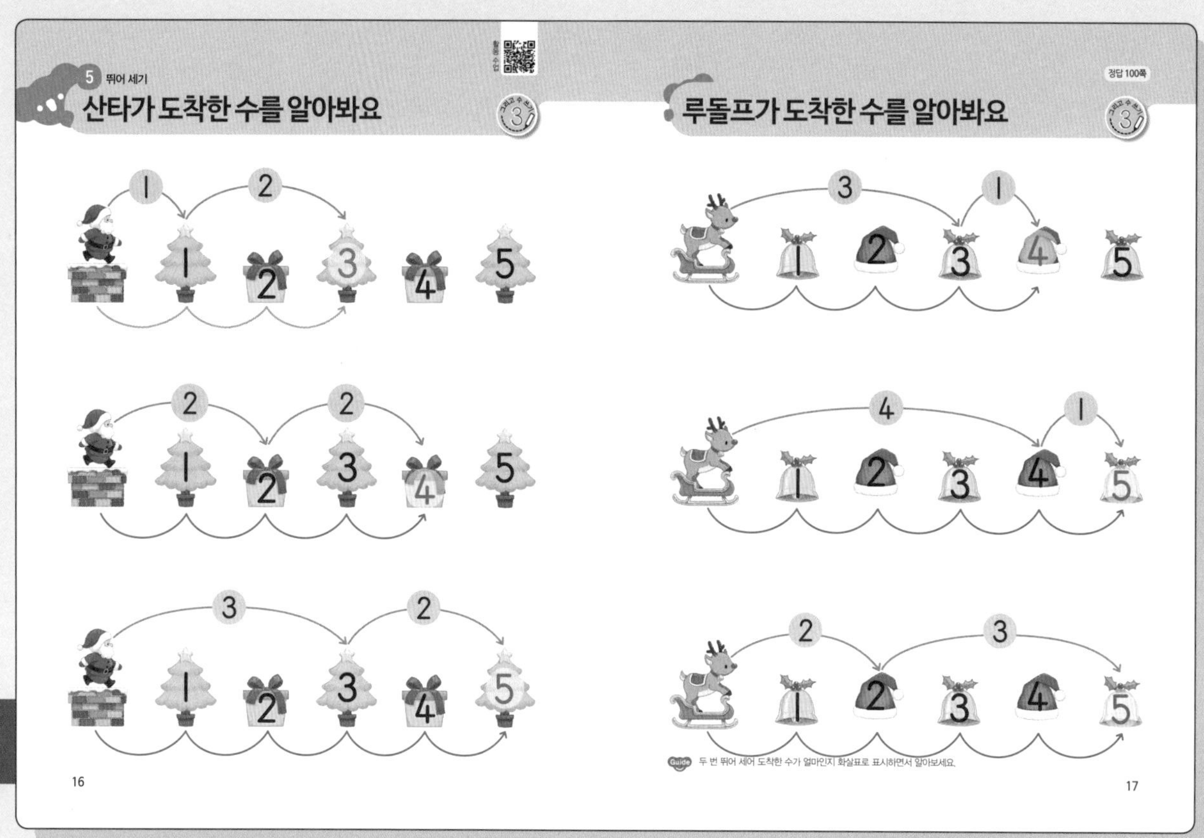

5 뛰어 세기
산타가 도착한 수를 알아봐요
루돌프가 도착한 수를 알아봐요
정답 100쪽
16
17

18~19쪽

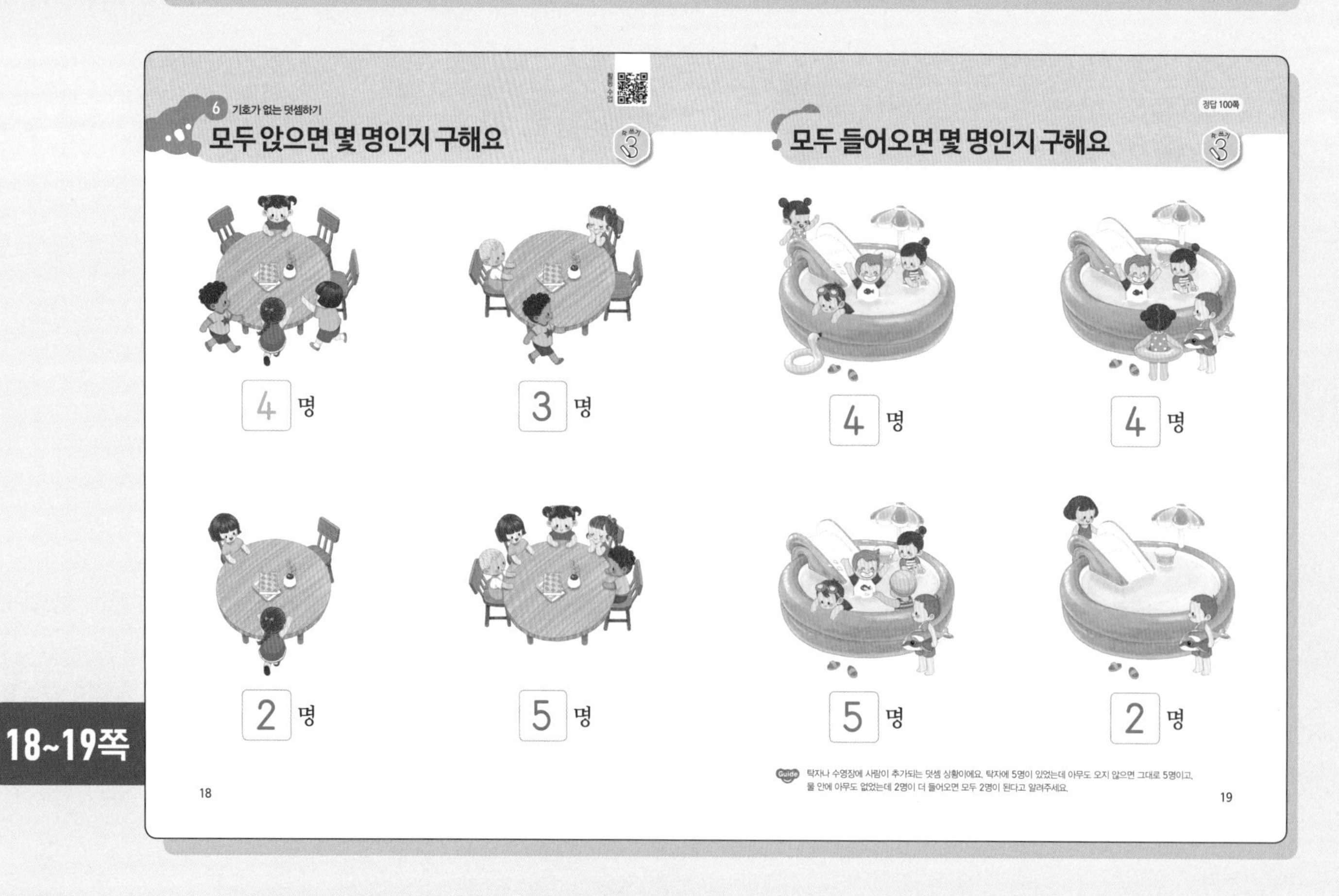

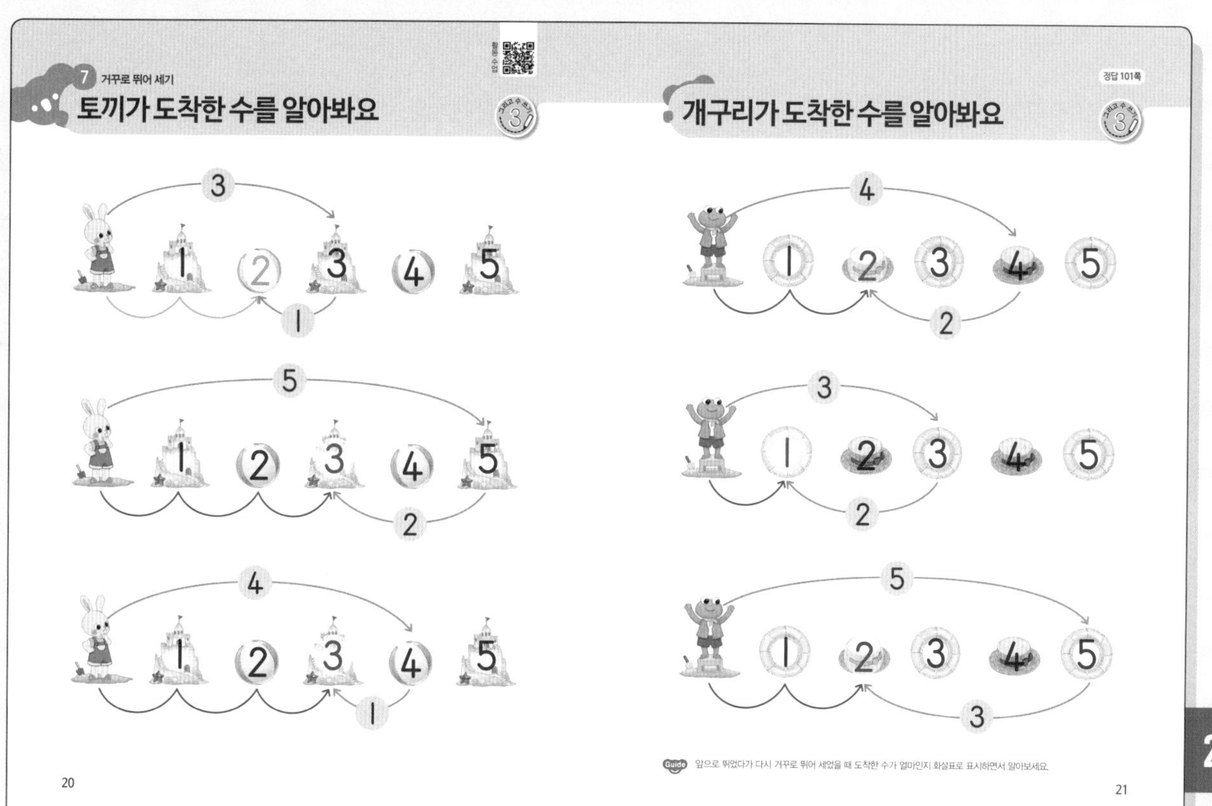

7 거꾸로 뛰어 세기

토끼가 도착한 수를 알아봐요

개구리가 도착한 수를 알아봐요

정답 101쪽

Guide 앞으로 뛰었다가 다시 거꾸로 뛰어 세었을 때 도착한 수가 얼마인지 화살표로 표시하면서 알아보세요.

20 21

20~21쪽

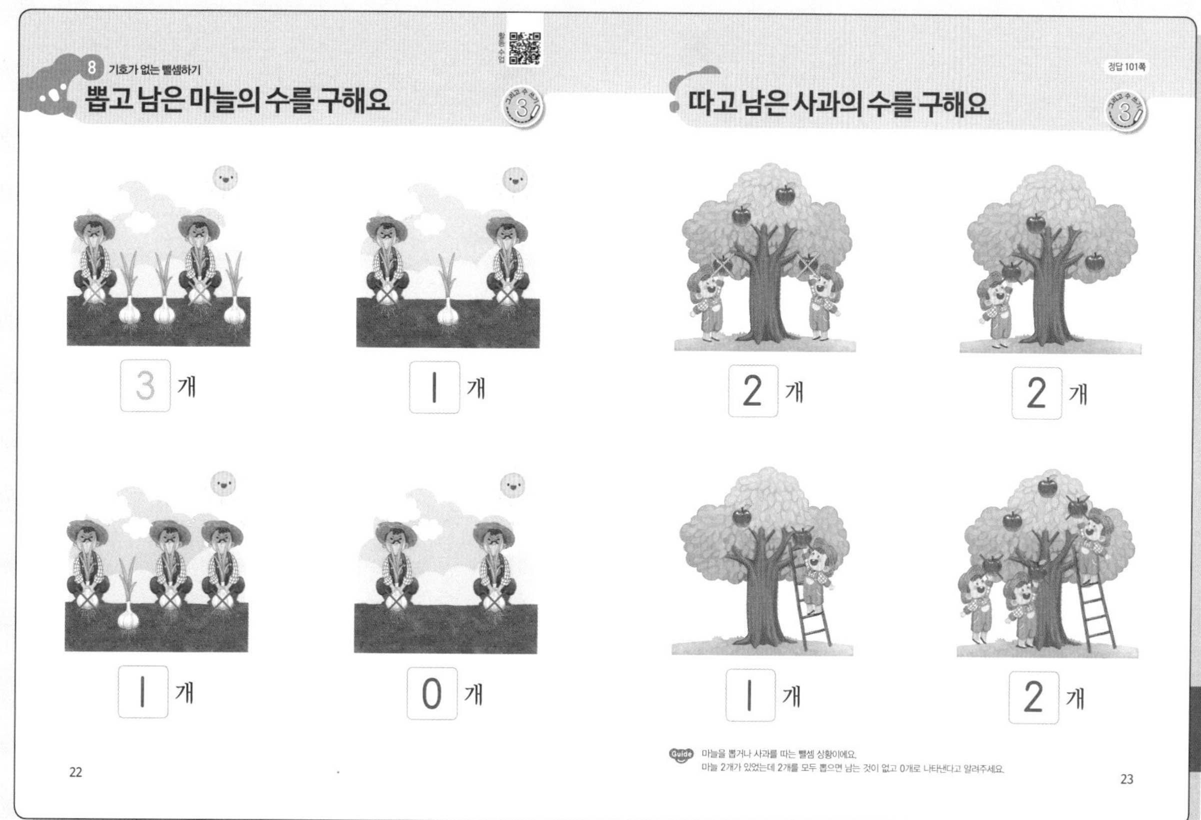

8 기호가 없는 뺄셈하기

뽑고 남은 마늘의 수를 구해요

3 개 | 1 개 | 1 개 | 0 개

따고 남은 사과의 수를 구해요

정답 101쪽

2 개 | 2 개 | 1 개 | 2 개

Guide 마늘을 뽑거나 사과를 따는 뺄셈 상황이에요.
마늘 2개가 있었는데 2개를 모두 뽑으면 남는 것이 없고 0개로 나타낸다고 알려주세요.

22 23

22~23쪽

1 과정 5까지의 셈

24~25쪽

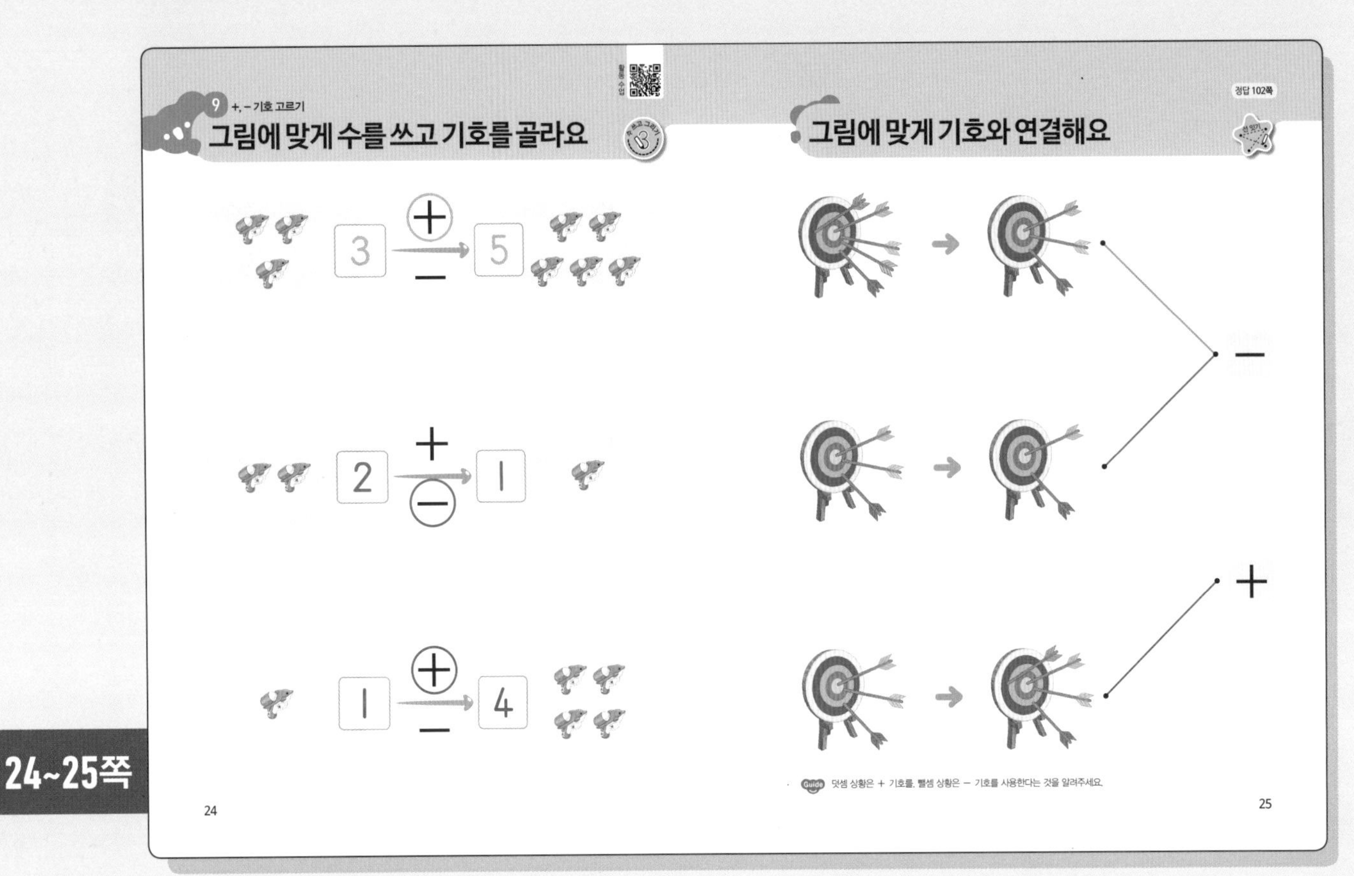

26~27쪽

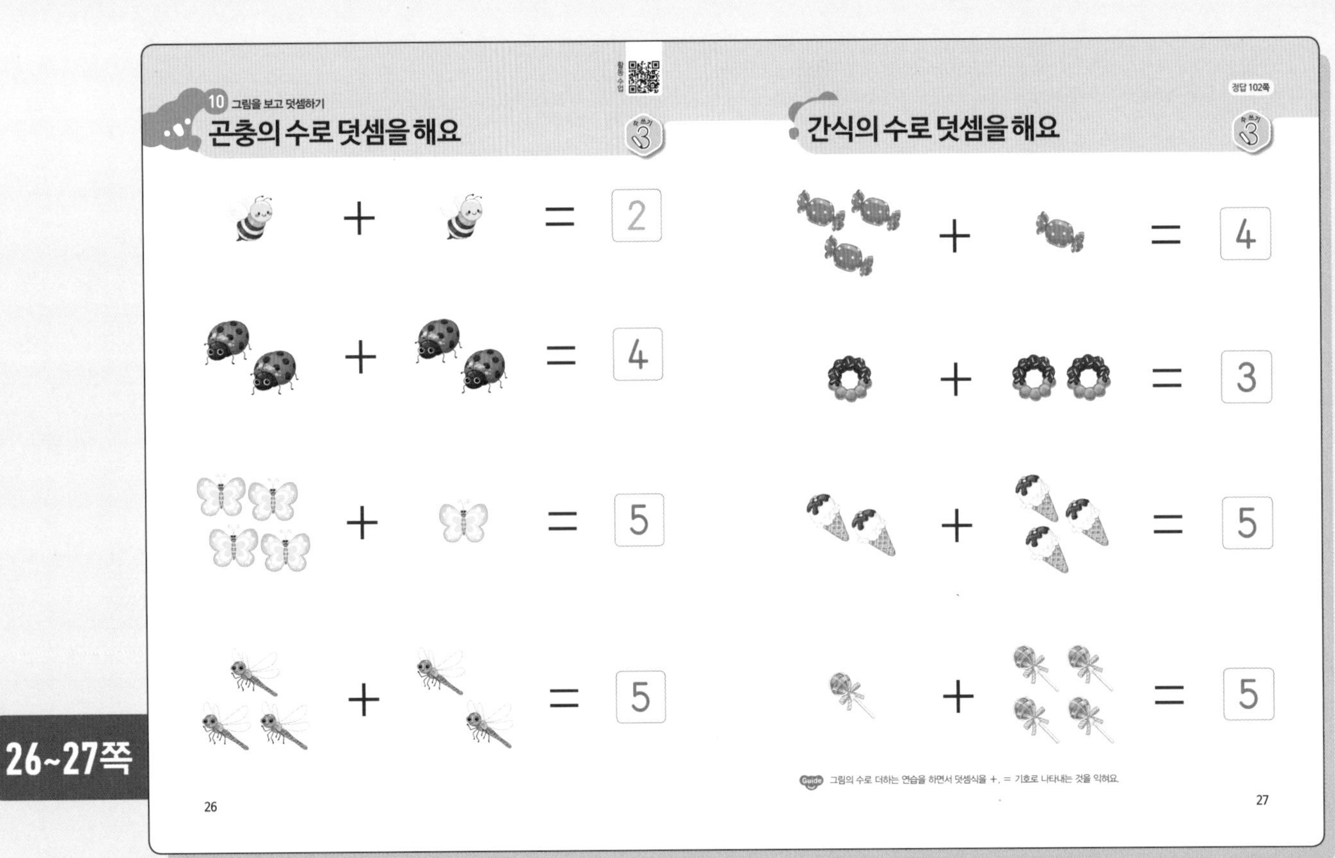

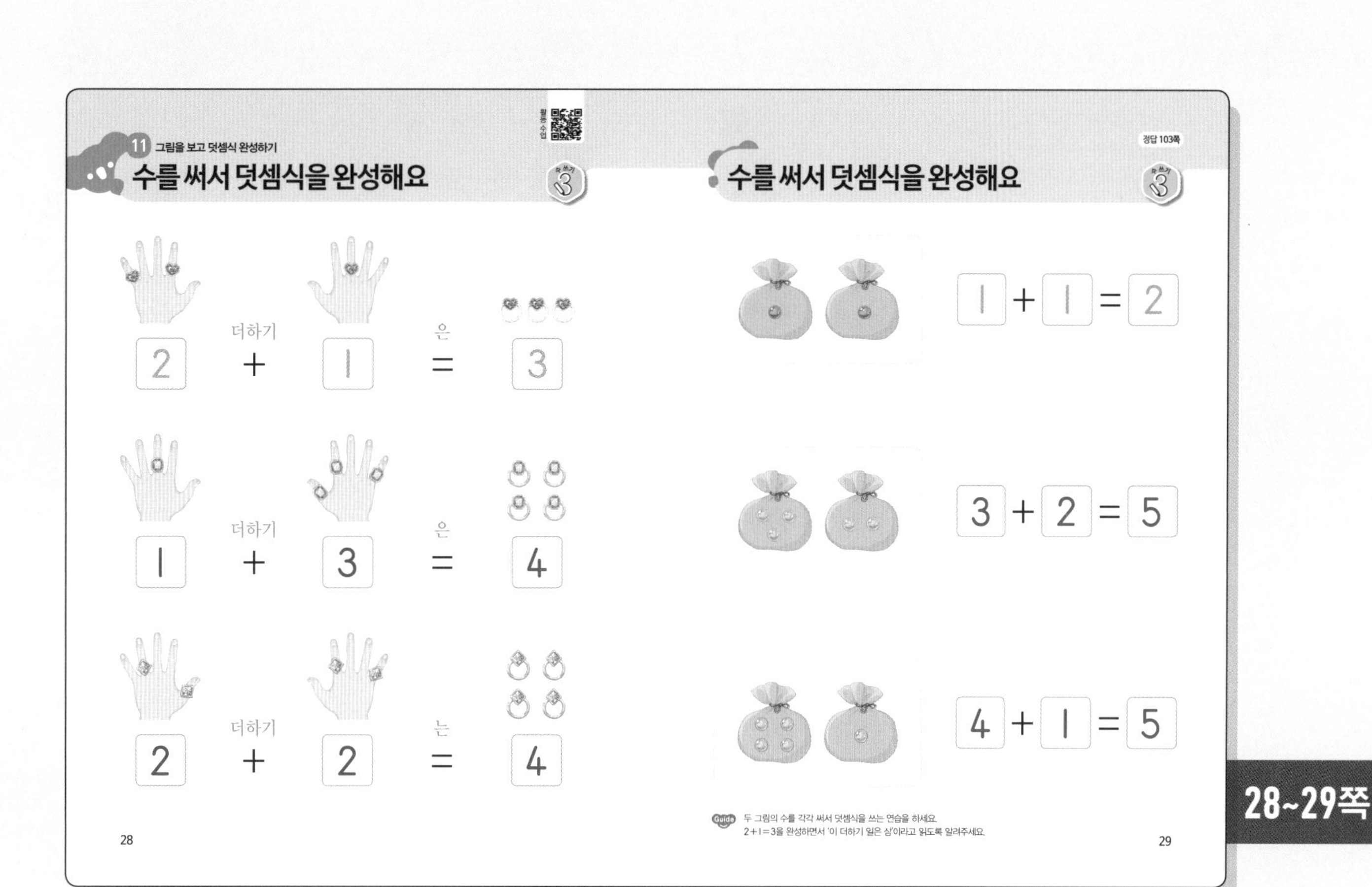
11 그림을 보고 덧셈식 완성하기

수를 써서 덧셈식을 완성해요

2 더하기 1 은 3

2 + 1 = 3

1 더하기 3 은 4

1 + 3 = 4

2 더하기 2 는 4

2 + 2 = 4

28

정답 103쪽

수를 써서 덧셈식을 완성해요

1 + 1 = 2

3 + 2 = 5

4 + 1 = 5

Guide 두 그림의 수를 각각 써서 덧셈식을 쓰는 연습을 하세요.
2+1=3을 완성하면서 '이 더하기 일은 삼'이라고 읽도록 알려주세요.

29

28~29쪽

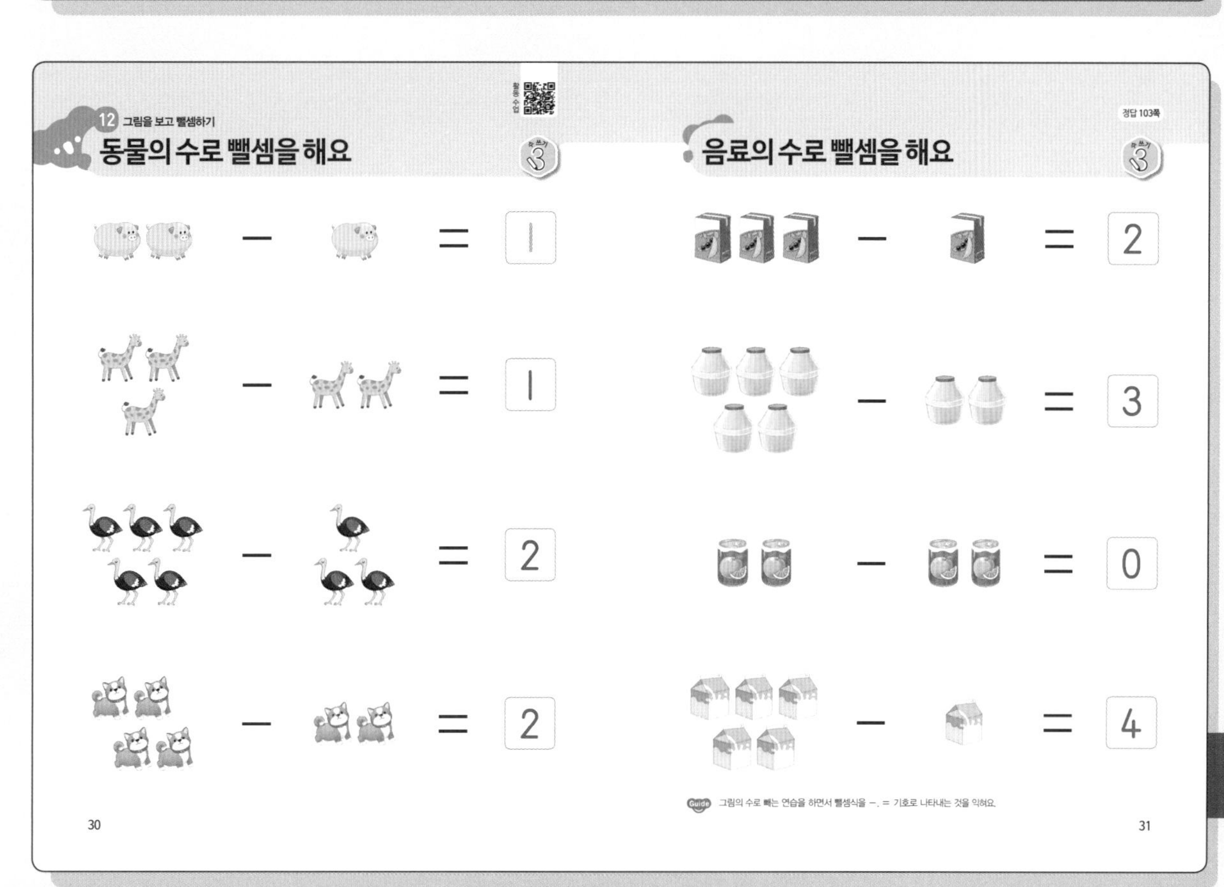
12 그림을 보고 뺄셈하기

동물의 수로 뺄셈을 해요

− = 1

− = 1

− = 2

− = 2

30

정답 103쪽

음료의 수로 뺄셈을 해요

− = 2

− = 3

− = 0

− = 4

Guide 그림의 수로 빼는 연습을 하면서 뺄셈식을 −, = 기호로 나타내는 것을 익혀요.

31

30~31쪽

1 과정 5까지의 셈

32~33쪽

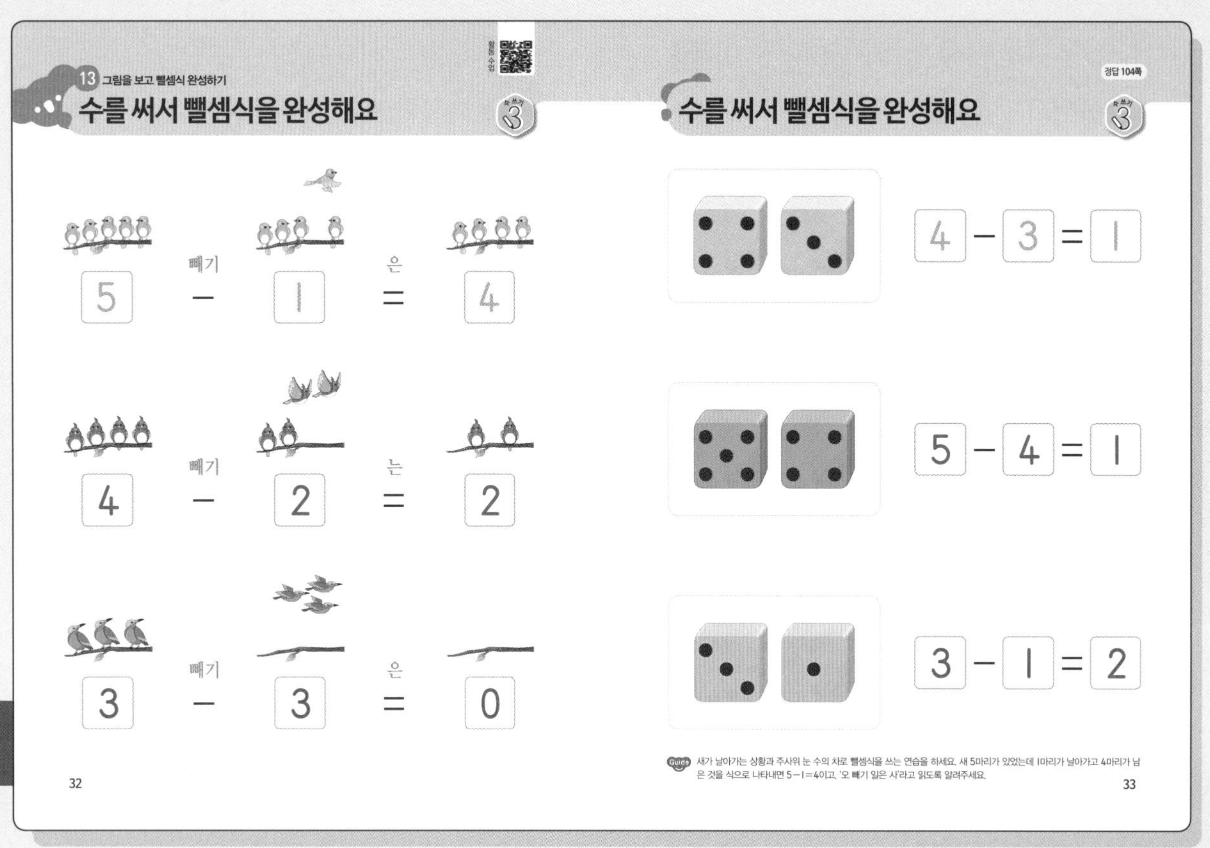
13 그림을 보고 뺄셈식 완성하기

수를 써서 뺄셈식을 완성해요

5 빼기 1 은 4

$5 - 1 = 4$

4 빼기 2 는 2

$4 - 2 = 2$

3 빼기 3 은 0

$3 - 3 = 0$

정답 104쪽

수를 써서 뺄셈식을 완성해요

$4 - 3 = 1$

$5 - 4 = 1$

$3 - 1 = 2$

Guide 새가 날아가는 상황과 주사위 눈 수의 차로 뺄셈식을 쓰는 연습을 하세요. 새 5마리가 있었는데 1마리가 날아가고 4마리가 남은 것을 식으로 나타내면 5－1＝4이고, '오 빼기 일은 사'라고 읽도록 알려주세요.

32 33

2 과정 10까지의 셈

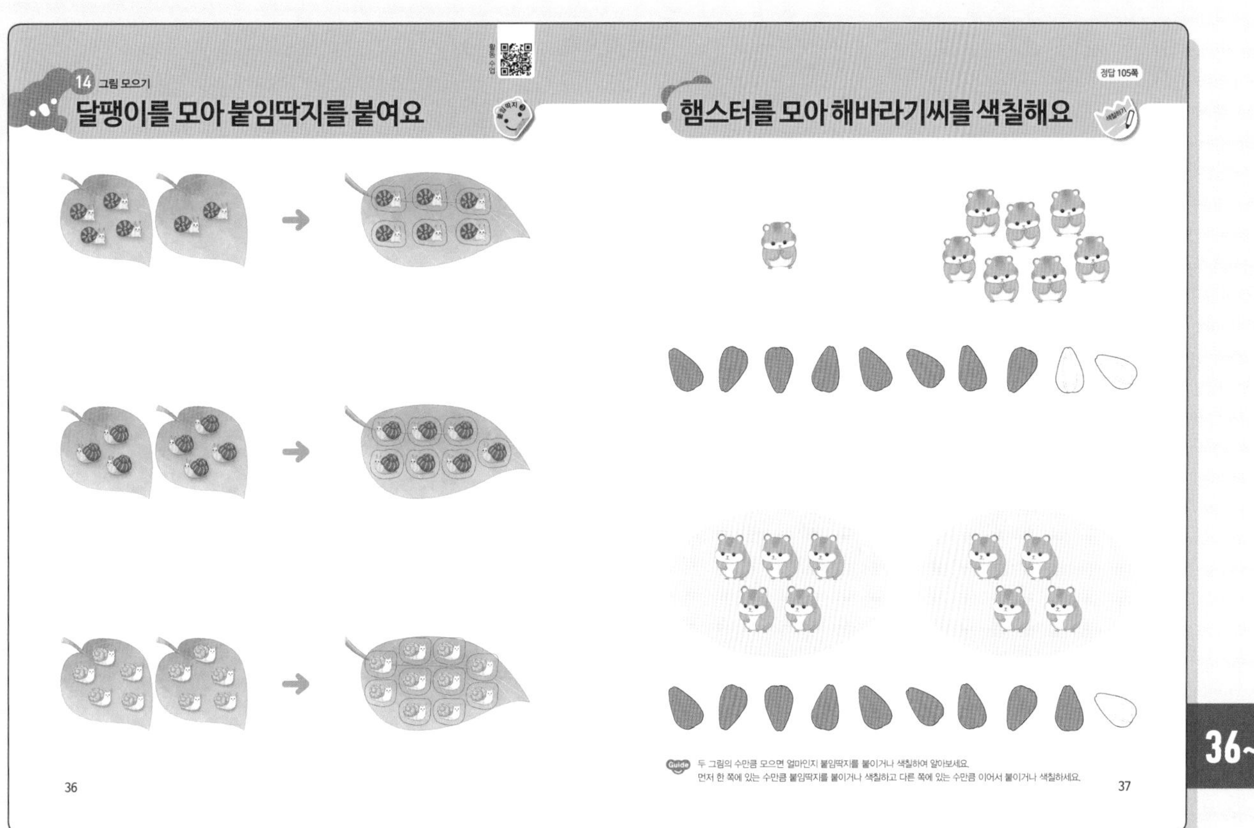

14 그림 모으기
달팽이를 모아 붙임딱지를 붙여요
정답 105쪽
햄스터를 모아 해바라기씨를 색칠해요

Guide 두 그림의 수만큼 모으면 얼마인지 붙임딱지를 붙이거나 색칠하여 알아보세요.
먼저 한 쪽에 있는 수만큼

36
37

36~37쪽

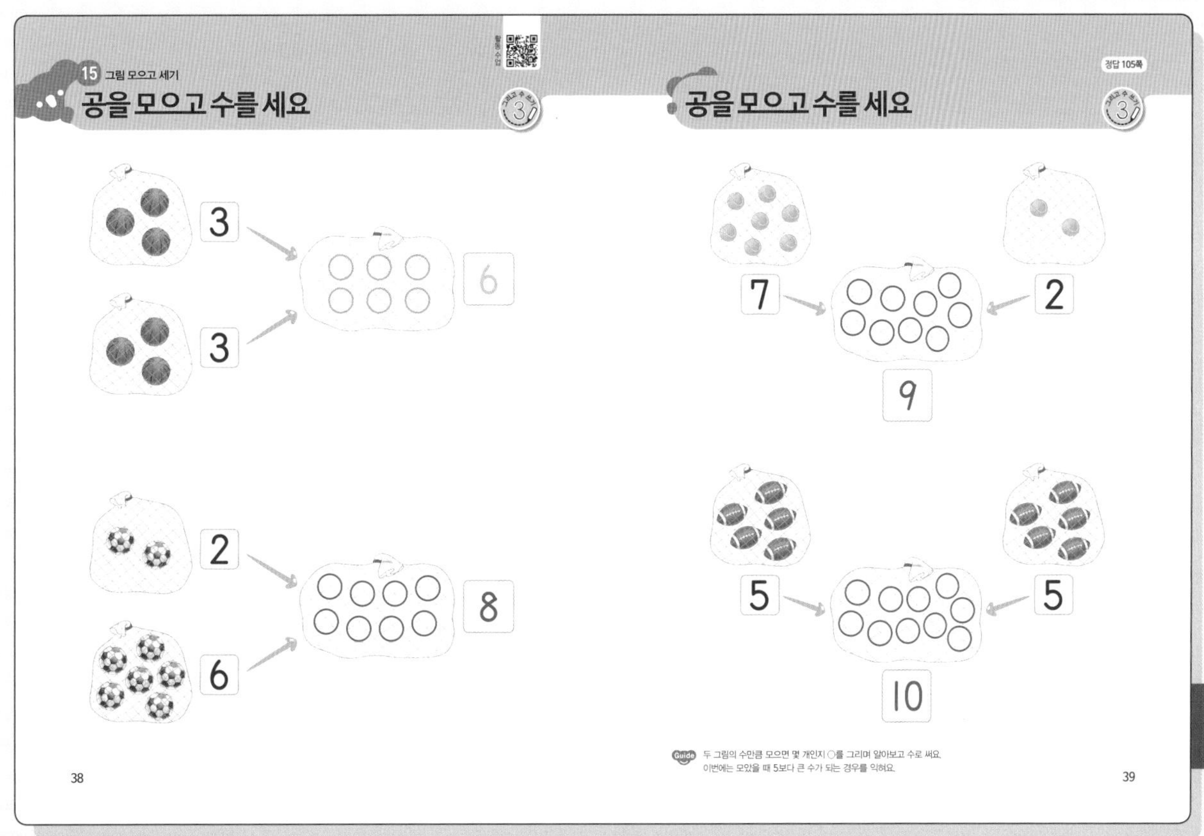

38~39쪽

40~41쪽

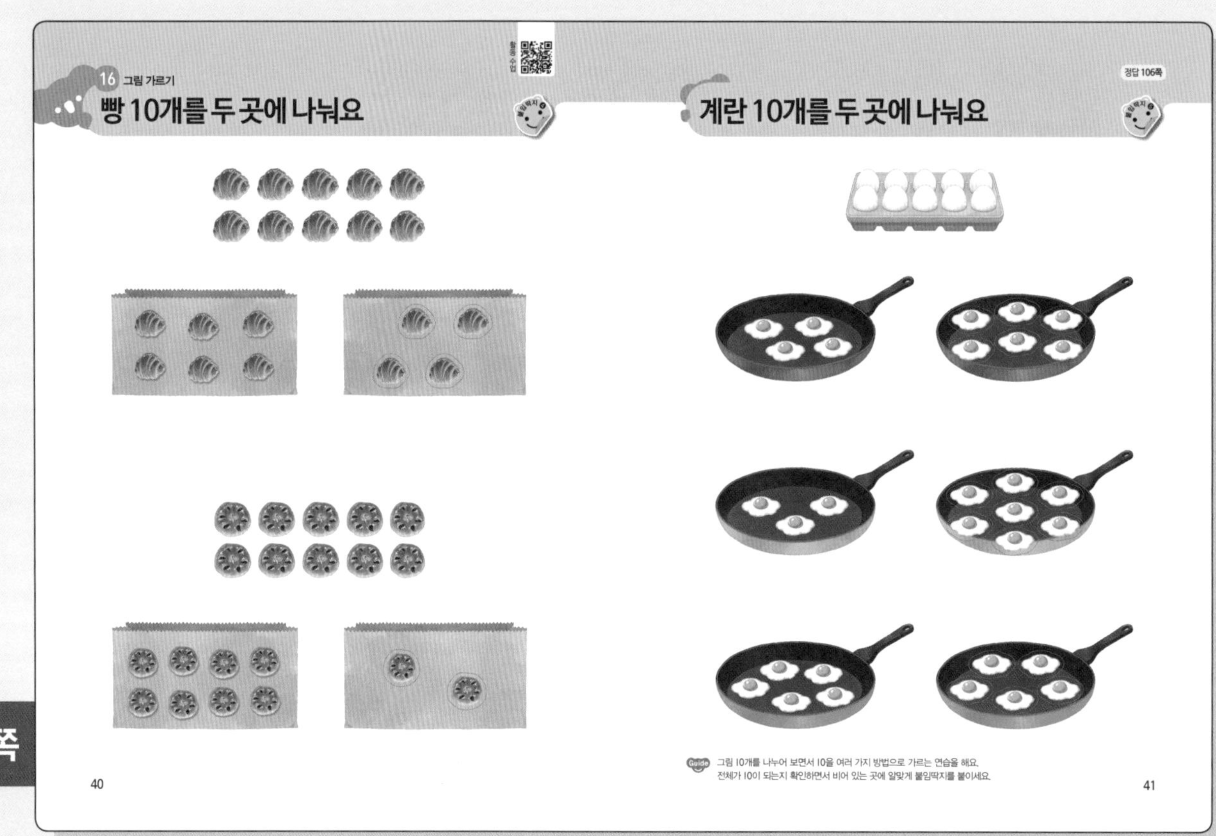
16 그림 가르기
빵 10개를 두 곳에 나눠요
정답 106쪽
계란 10개를 두 곳에 나눠요
Guide 그림 10개를 나누어 보면서 10을 여러 가지 방법으로 가르는 연습을 해요.
전체가 10이 되는지 확인하면서 비어 있는 곳에 알맞게 붙임딱지를 붙이세요.
40
41

42~43쪽

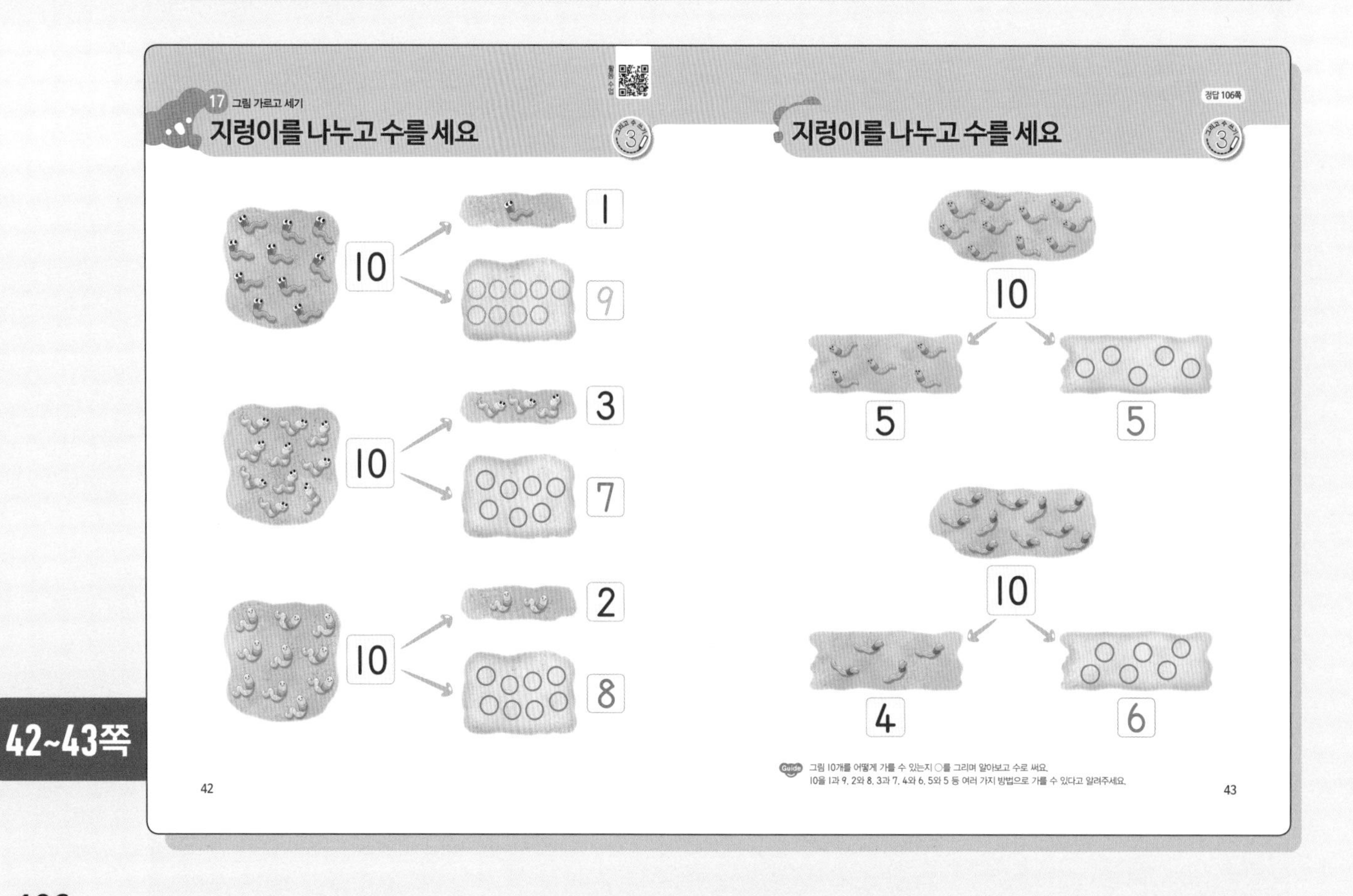
17 그림 가르고 세기
지렁이를 나누고 수를 세요
10
1
9
10
3
7
10
2
8
정답 106쪽
지렁이를 나누고 수를 세요
10
5
5
10
4
6
Guide 그림 10개를 어떻게 가를 수 있는지 ○를 그리며 알아보고 수로 써요.
10을 1과 9, 2와 8, 3과 7, 4와 6, 5와 5 등 여러 가지 방법으로 가를 수 있다고 알려주세요.
42
43

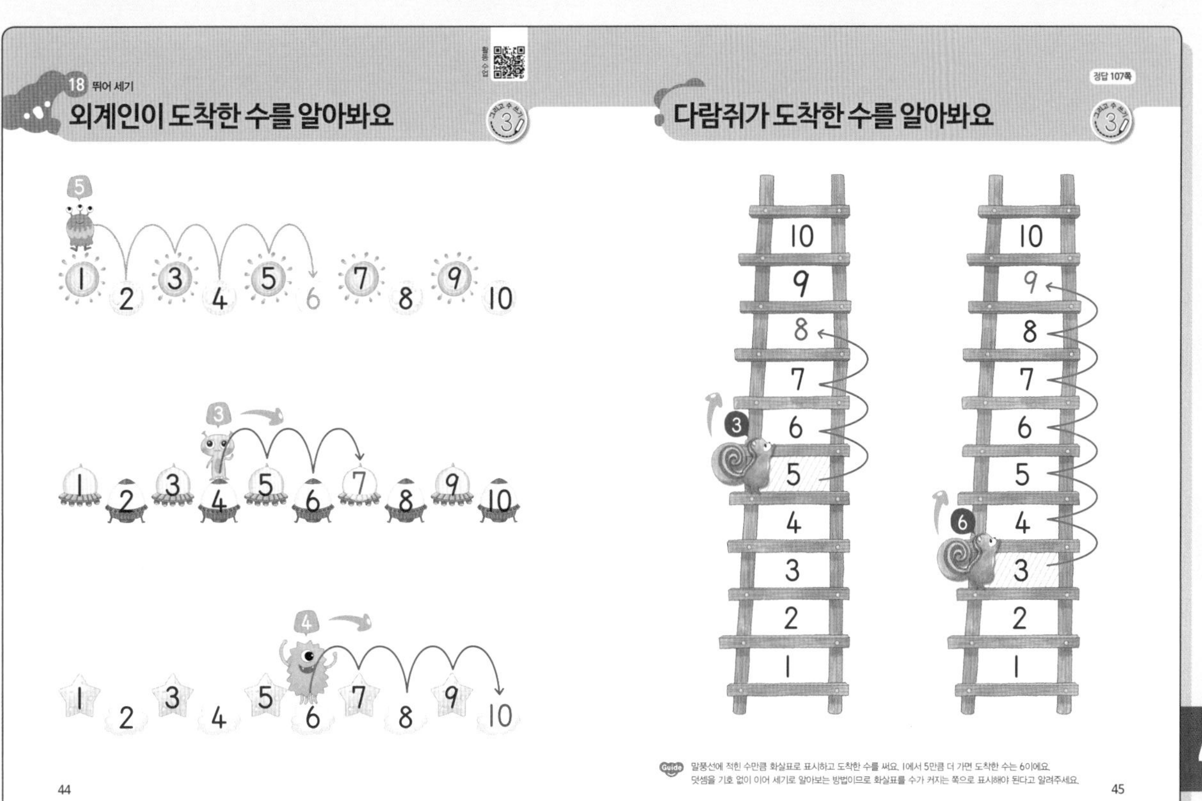
18 뛰어 세기
외계인이 도착한 수를 알아봐요
다람쥐가 도착한 수를 알아봐요
정답 107쪽
44
45

44~45쪽

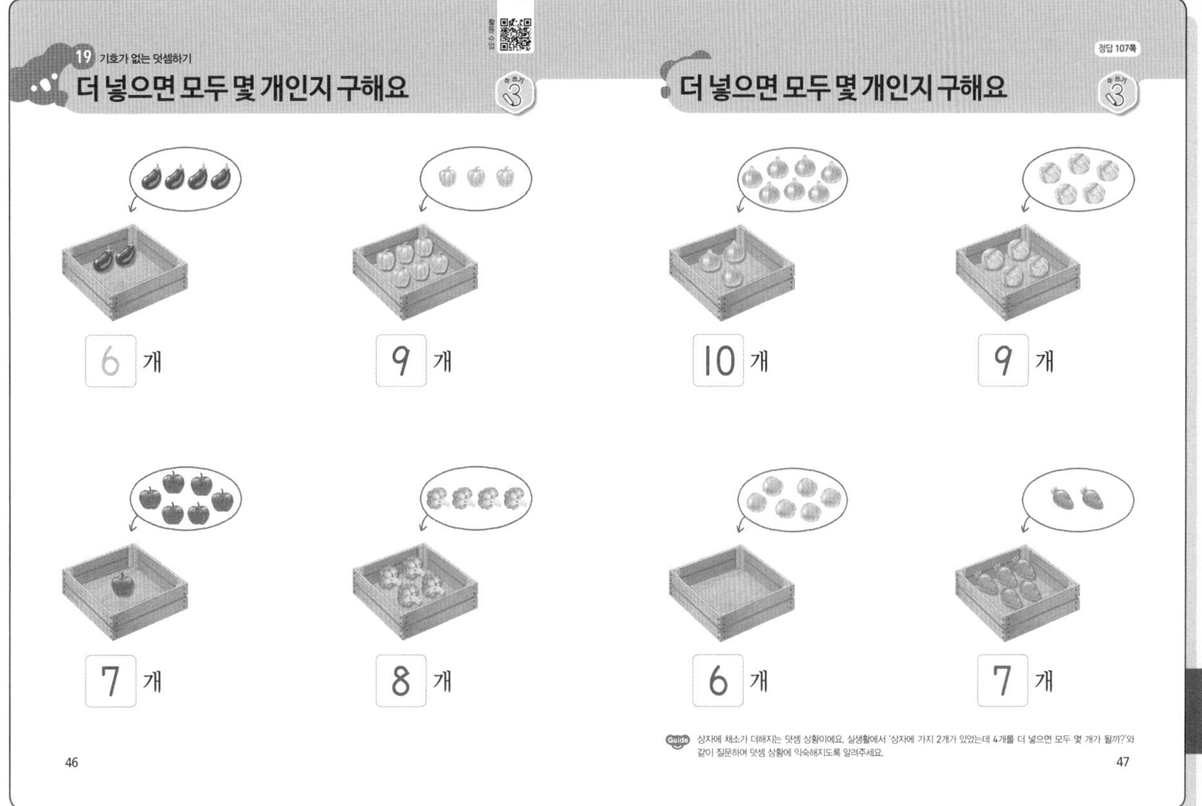
19 기호가 없는 덧셈하기
더 넣으면 모두 몇 개인지 구해요
더 넣으면 모두 몇 개인지 구해요
정답 107쪽
6 개
9 개
10 개
9 개
7 개
8 개
6 개
7 개
46
47

46~47쪽

2 과정 10까지의 셈

48~49쪽

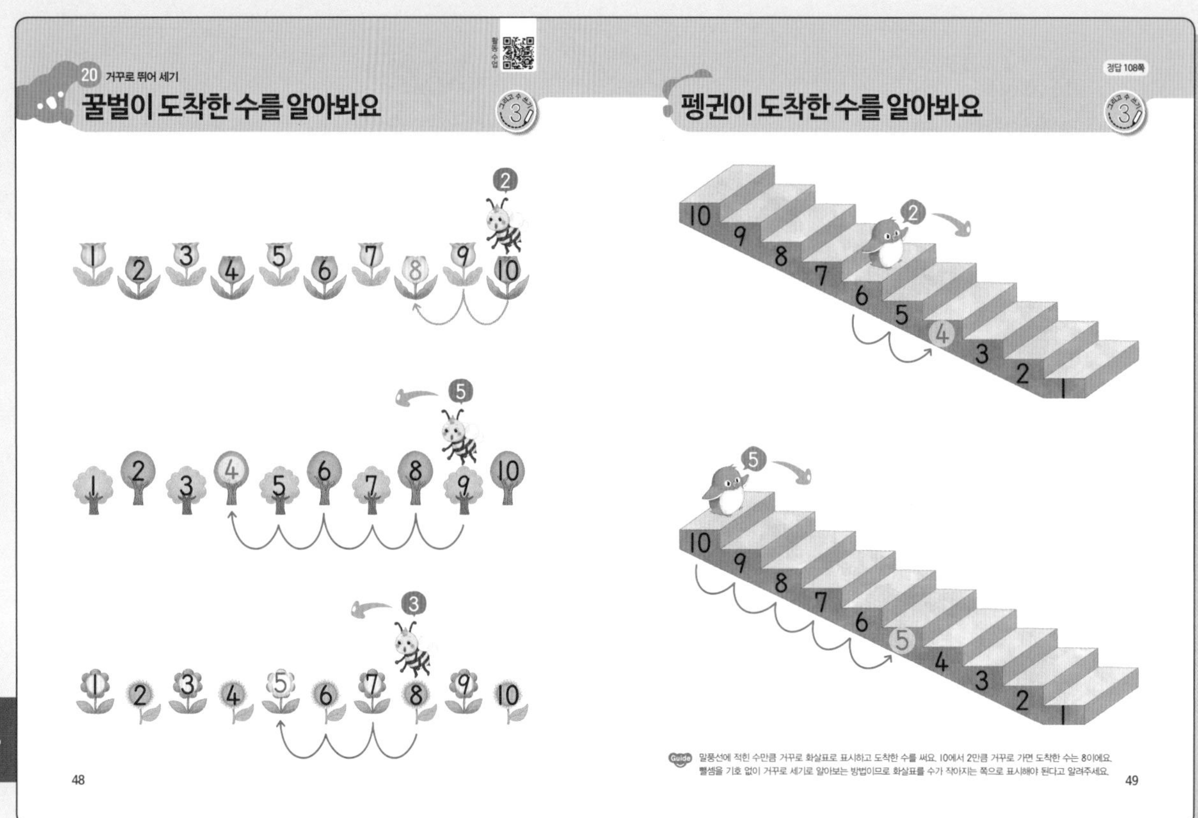

50~51쪽

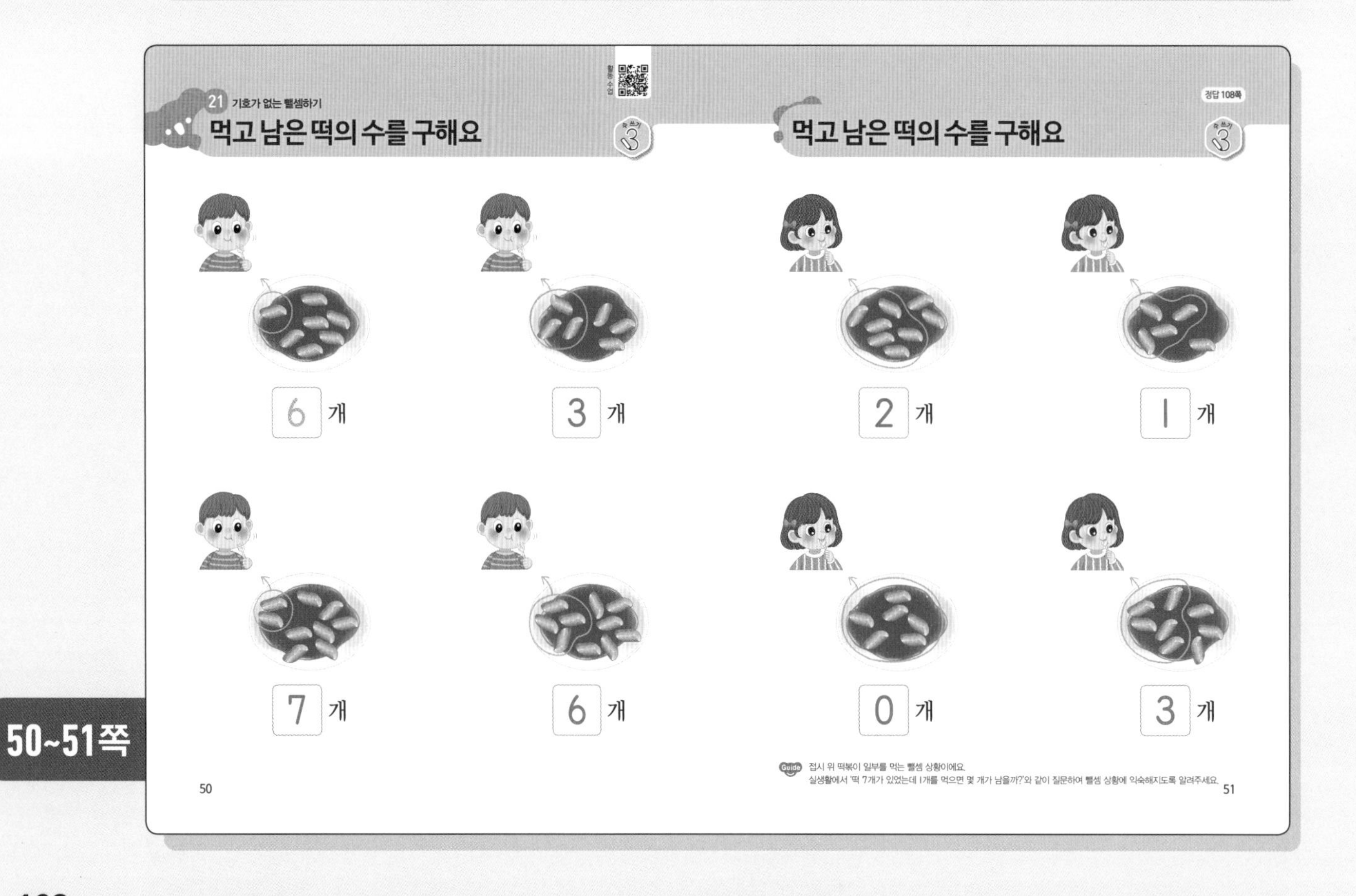

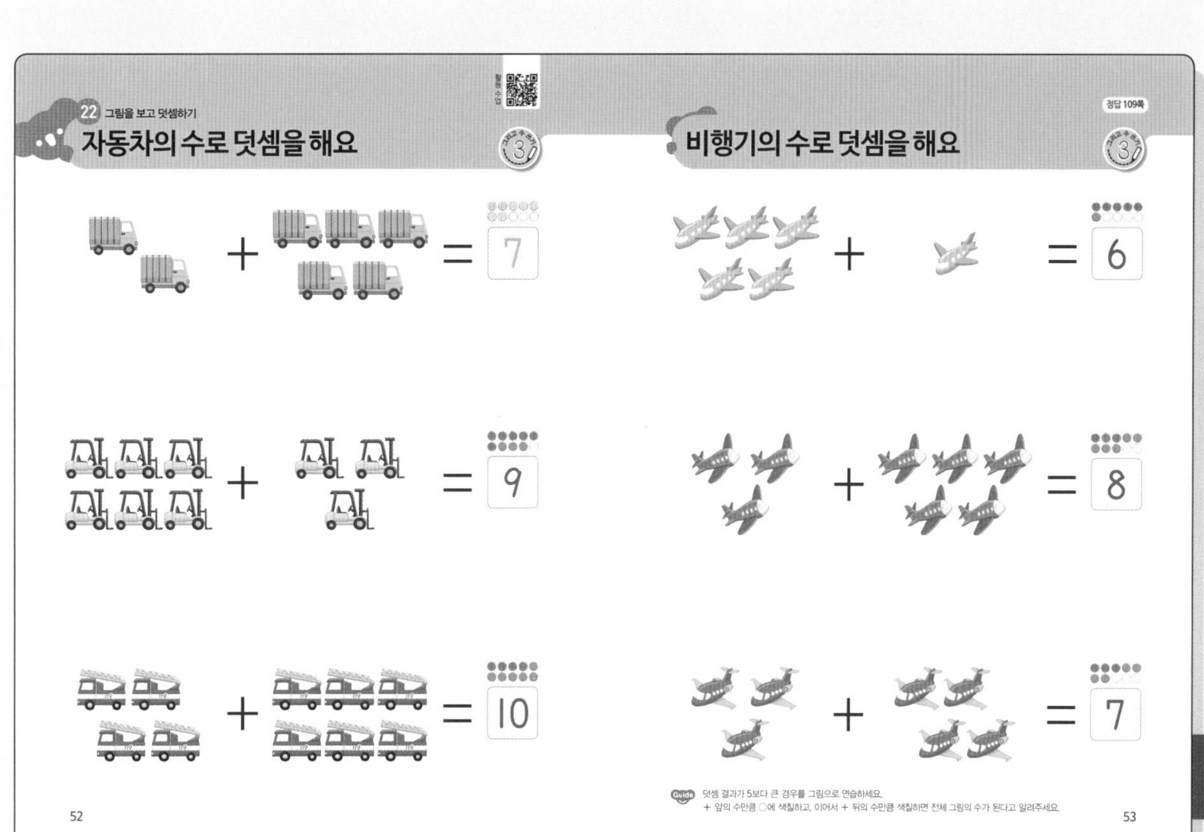
22 그림을 보고 덧셈하기
자동차의 수로 덧셈을 해요
비행기의 수로 덧셈을 해요
정답 109쪽
= 7
= 9
= 10
= 6
= 8
= 7
52
53

52~53쪽

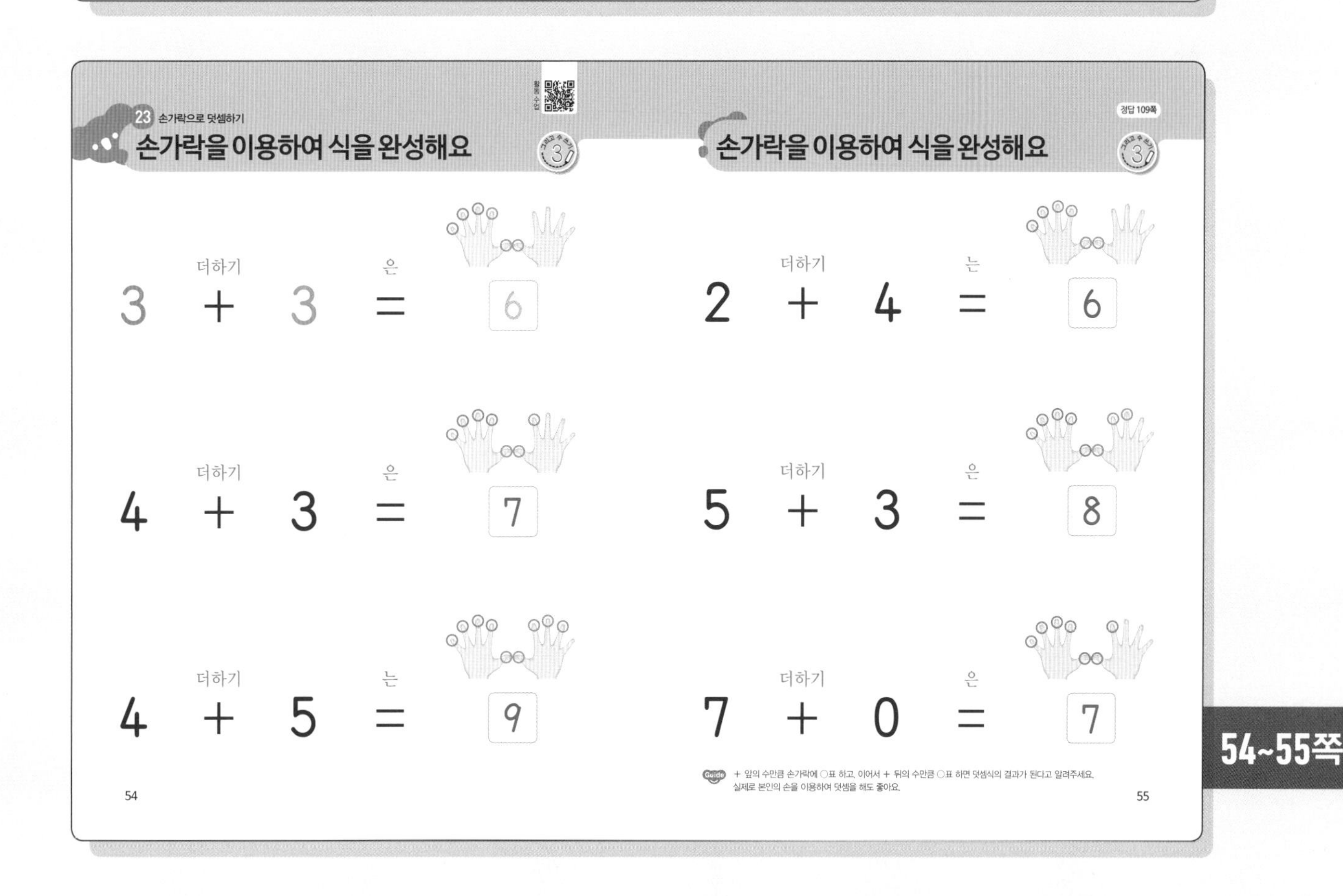
23 손가락으로 덧셈하기
손가락을 이용하여 식을 완성해요
손가락을 이용하여 식을 완성해요
정답 109쪽
3 + 3 = 6
4 + 3 = 7
4 + 5 = 9
2 + 4 = 6
5 + 3 = 8
7 + 0 = 7
54
55

54~55쪽

2 과정 10까지의 셈

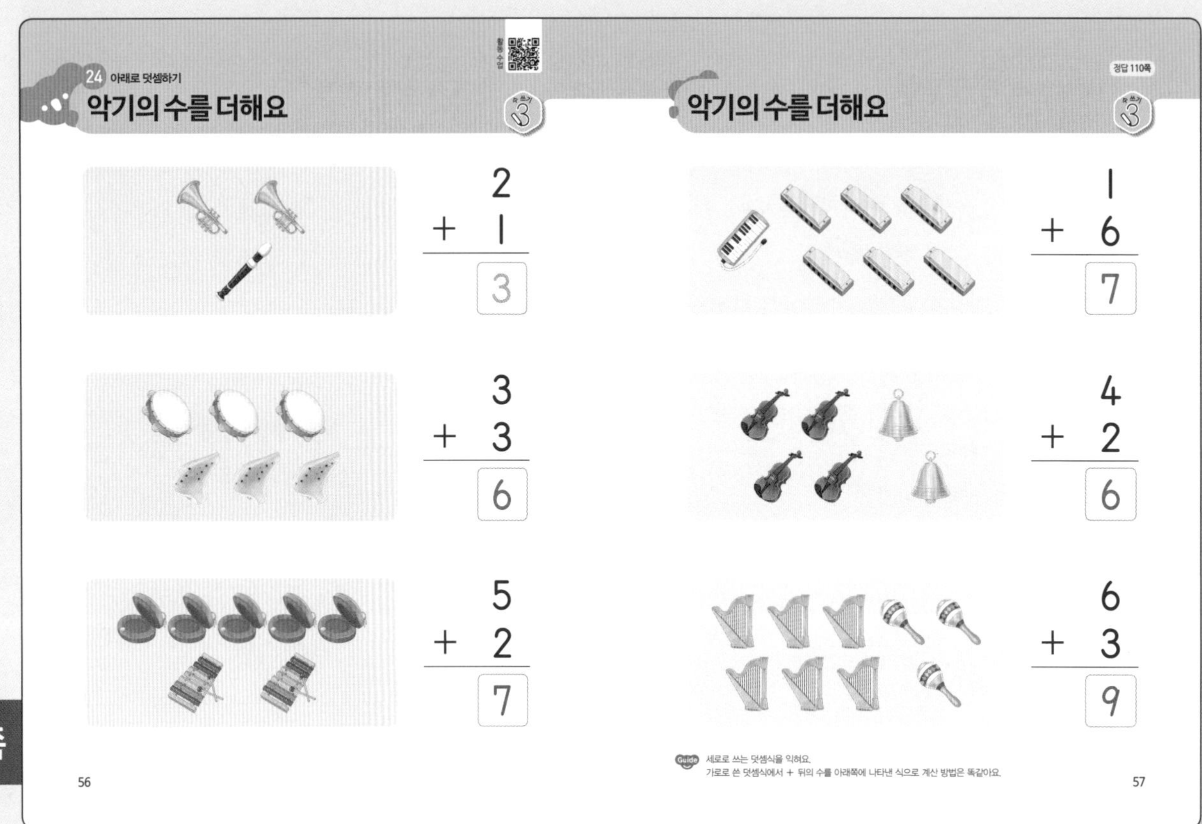
24 아래로 덧셈하기
악기의 수를 더해요
2 + 1 = 3
3 + 3 = 6
5 + 2 = 7
정답 110쪽
악기의 수를 더해요
1 + 6 = 7
4 + 2 = 6
6 + 3 = 9
56
57

56~57쪽

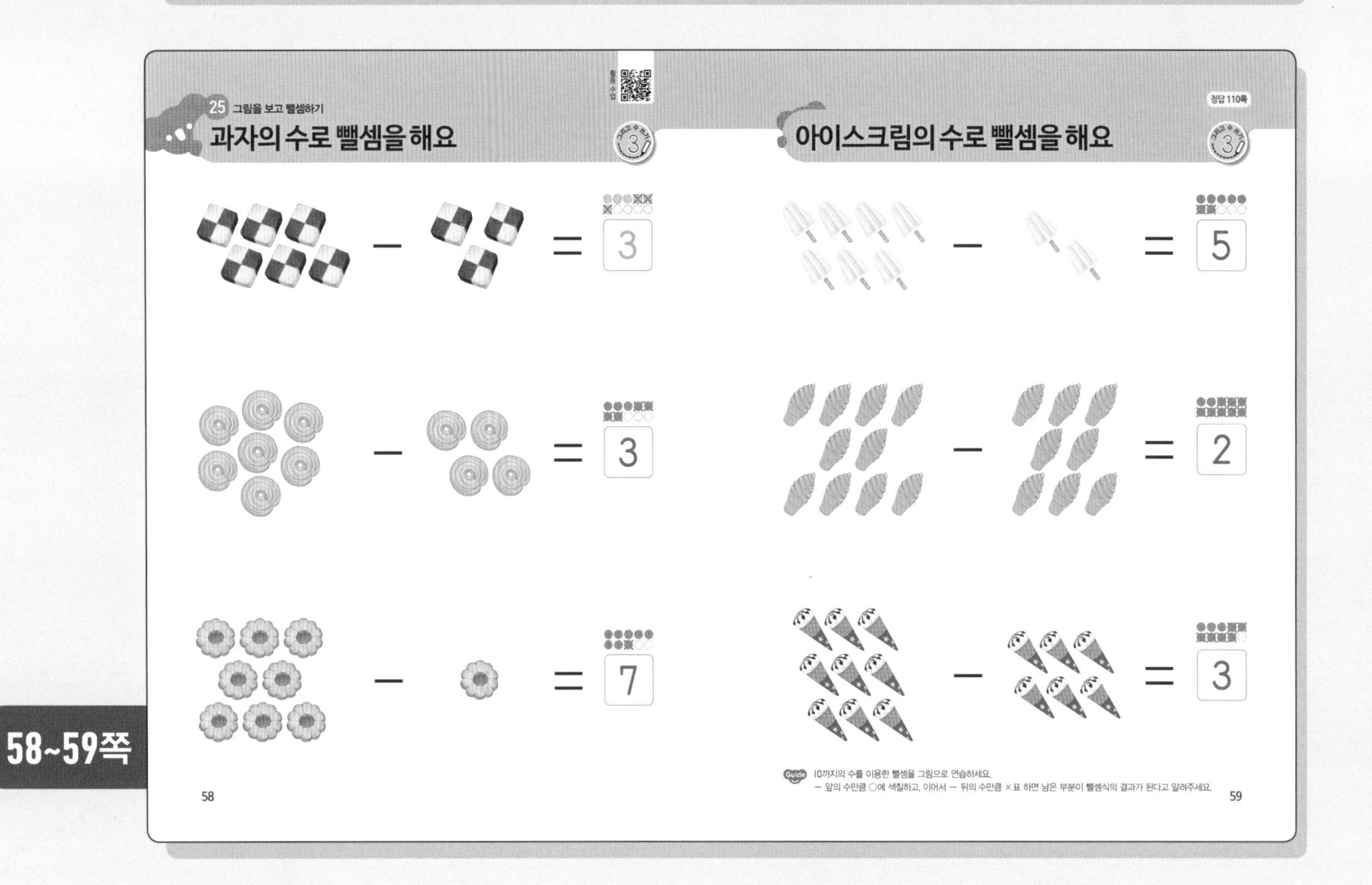
58~59쪽
25 그림을 보고 뺄셈하기
과자의 수로 뺄셈을 해요
− = 3
− = 3
− = 7
정답 110쪽
아이스크림의 수로 뺄셈을 해요
− = 5
− = 2
− = 3
58
59

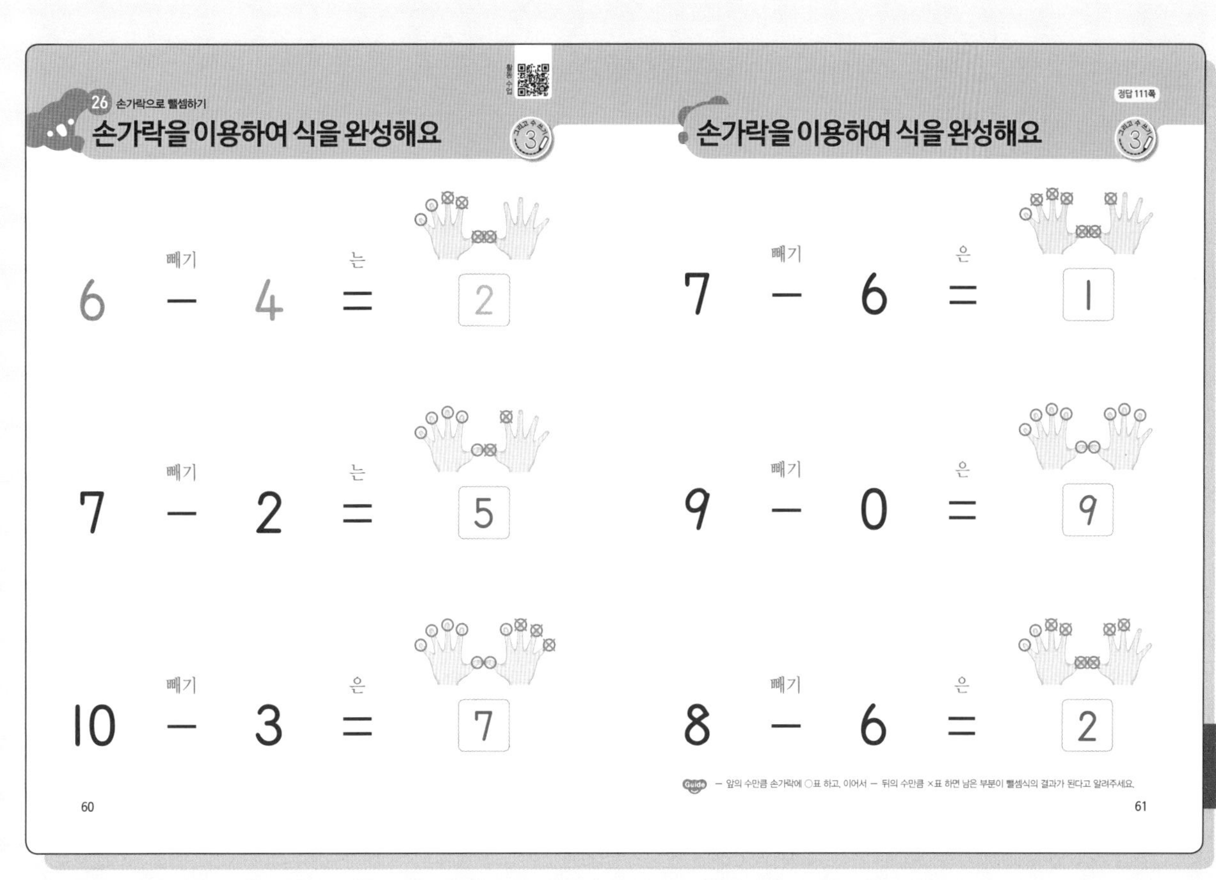
26 손가락으로 뺄셈하기
손가락을 이용하여 식을 완성해요
6 빼기 4 는 = 2
7 빼기 2 는 = 5
10 빼기 3 은 = 7
60
정답 111쪽
손가락을 이용하여 식을 완성해요
7 빼기 6 은 = 1
9 빼기 0 은 = 9
8 빼기 6 은 = 2
61

60~61쪽

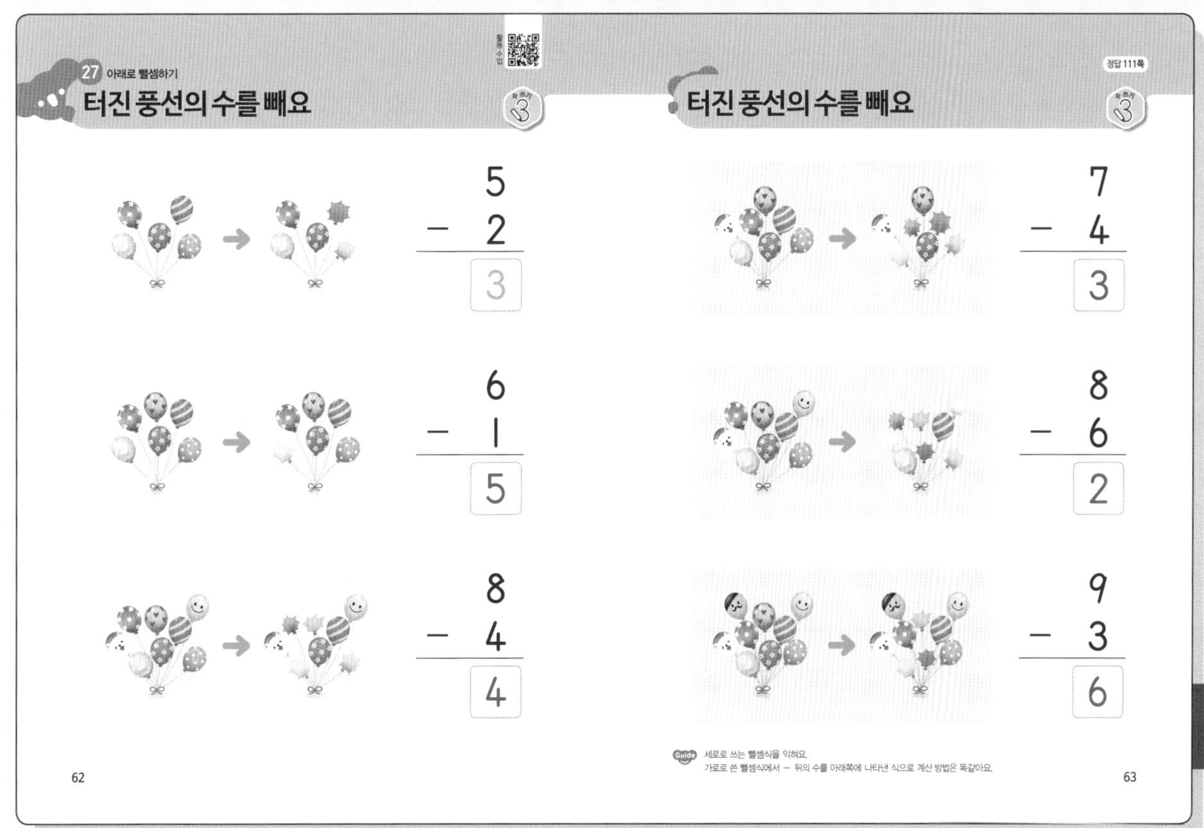
27 아래로 뺄셈하기
터진 풍선의 수를 빼요
5 − 2 = 3
6 − 1 = 5
8 − 4 = 4
62
정답 111쪽
터진 풍선의 수를 빼요
7 − 4 = 3
8 − 6 = 2
9 − 3 = 6
63

62~63쪽

3 과정 15까지의 셈

66~67쪽

28 그림으로 덧셈하기

주사위 눈의 수를 더해요

  6 + 7 = 13

 5 + 7 = 12

 7 + 8 = 15

 8 + 4 = 12

66

정답 112쪽

주사위 눈의 수를 더해요

 4 + 8 = 12

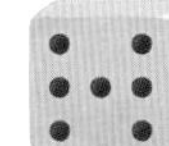 7 + 7 = 14

  9 + 5 = 14

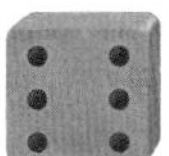  6 + 9 = 15

Guide 주사위 눈을 직접 가리키면서 이어 세기로 덧셈을 연습하세요.
예를 들어 6+7의 경우 6까지는 셀 필요없이 7부터 7-8-9-10-11-12-13으로 이어 세면 돼요.

67

68~69쪽

29 수직선으로 덧셈하기

화살표를 그려서 덧셈을 해요

3칸 앞으로!

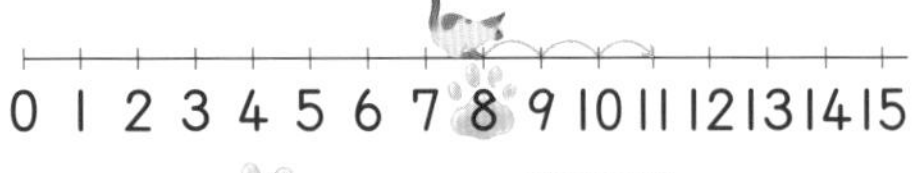

0 1 2 3 4 5 6 7 8 9 10 11 12 13 14 15

8 + 3 = 11

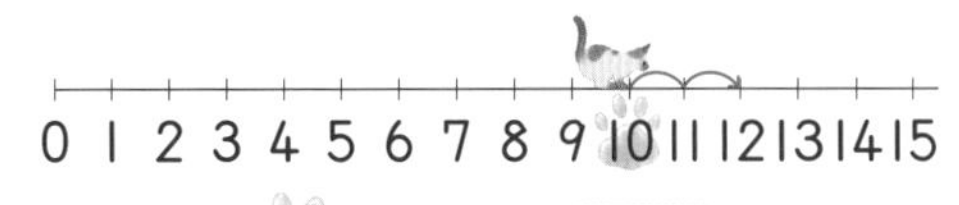

0 1 2 3 4 5 6 7 8 9 10 11 12 13 14 15

10 + 2 = 12

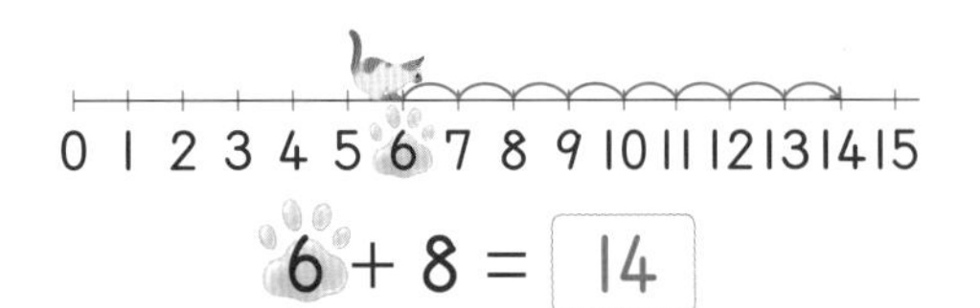

0 1 2 3 4 5 6 7 8 9 10 11 12 13 14 15

6 + 8 = 14

68

정답 112쪽

화살표를 그려서 덧셈을 해요

0 1 2 3 4 5 6 7 8 9 10 11 12 13 14 15

9 + 4 = 13

0 1 2 3 4 5 6 7 8 9 10 11 12 13 14 15

7 + 6 = 13

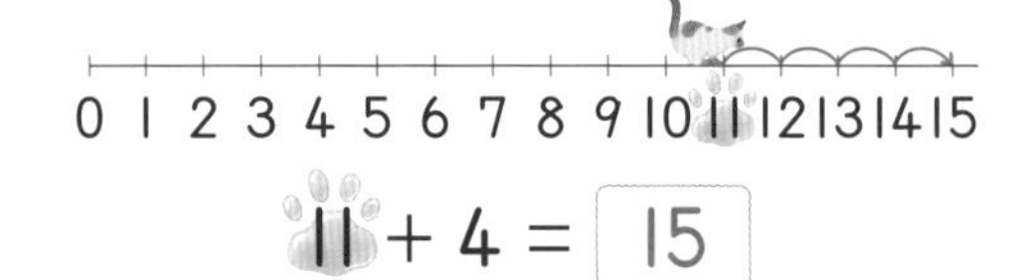

0 1 2 3 4 5 6 7 8 9 10 11 12 13 14 15

11 + 4 = 15

Guide 덧셈이므로 고양이는 수가 커지는 방향으로 뛰려고 해요. + 앞의 수에서 출발하여 + 뒤의 수만큼 화살표로 표시하고 도착한 수를 써요. 덧셈 결과가 10보다 큰 경우도 이어 세기로 구할 수 있어요.

69

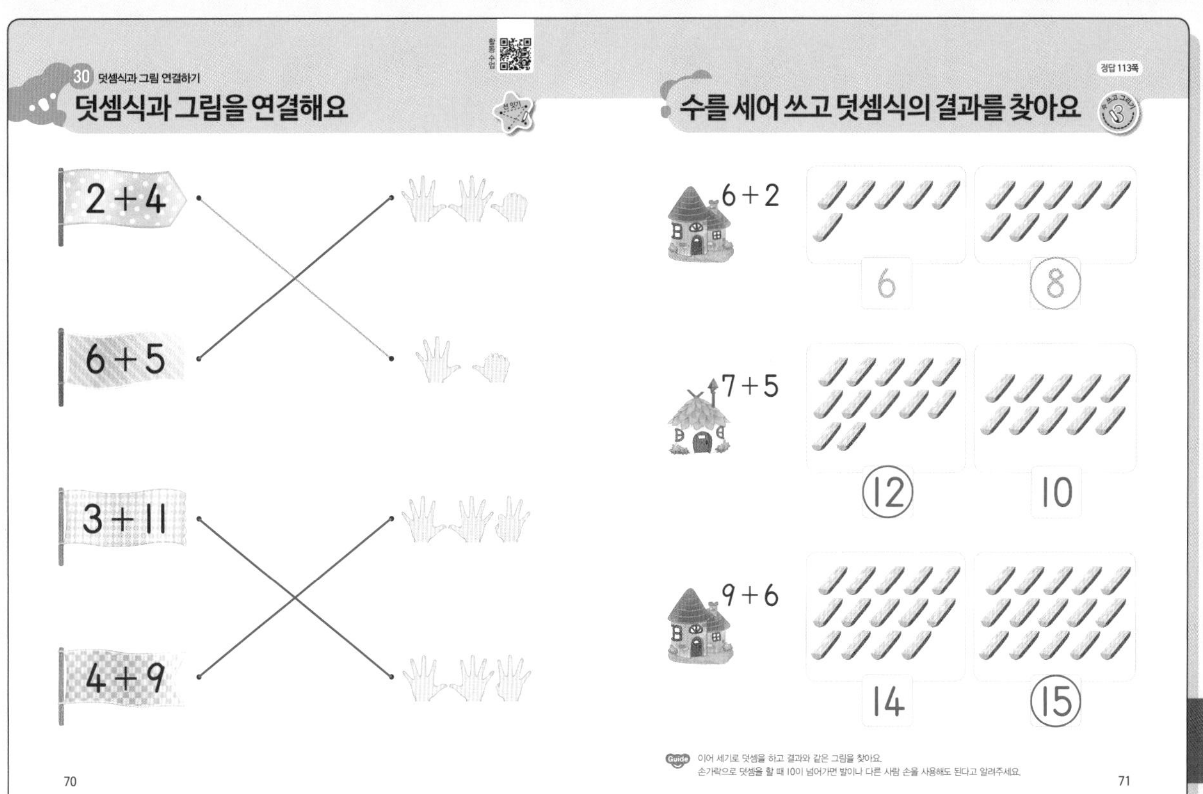
30 덧셈식과 그림 연결하기
덧셈식과 그림을 연결해요
2+4
6+5
3+11
4+9
정답 113쪽
수를 세어 쓰고 덧셈식의 결과를 찾아요
6+2
6
8
7+5
12
10
9+6
14
15
Guide 이어 세기로 덧셈을 하고 결과와 같은 그림을 찾아요.
손가락으로 덧셈을 할 때 10이 넘어가면 발이나 다른 사람 손을 사용해도 된다고 알려주세요.
70
71

70~71쪽

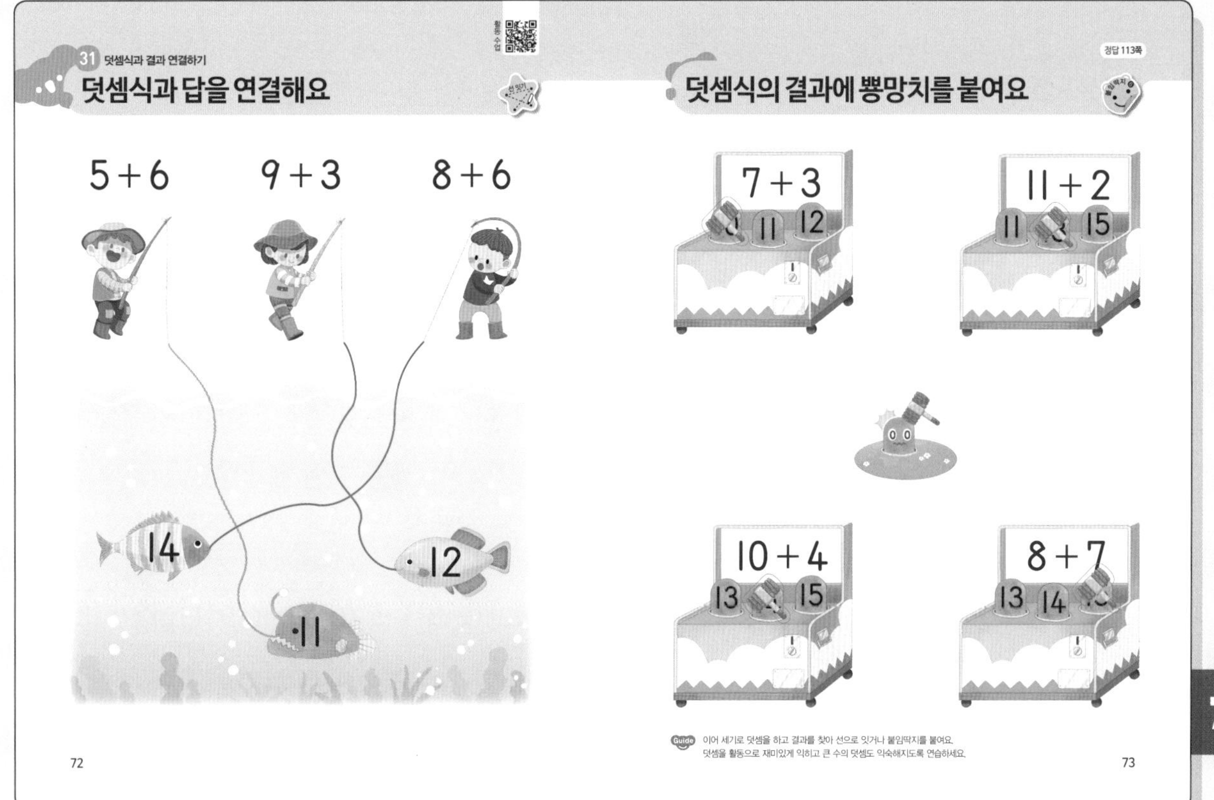
31 덧셈식과 결과 연결하기
덧셈식과 답을 연결해요
5+6
9+3
8+6
14
12
11
정답 113쪽
덧셈식의 결과에 뽕망치를 붙여요
7+3
11
12
11+2
11
15
10+4
13
15
8+7
13
14
Guide 이어 세기로 덧셈을 하고 결과를 찾아 선으로 잇거나 붙임딱지를 붙여요.
덧셈을 활동으로 재미있게 익히고 큰 수의 덧셈도 익숙해지도록 연습하세요.
72
73

72~73쪽

3과정 15까지의 셈

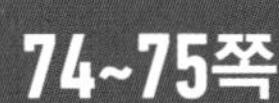

74~75쪽

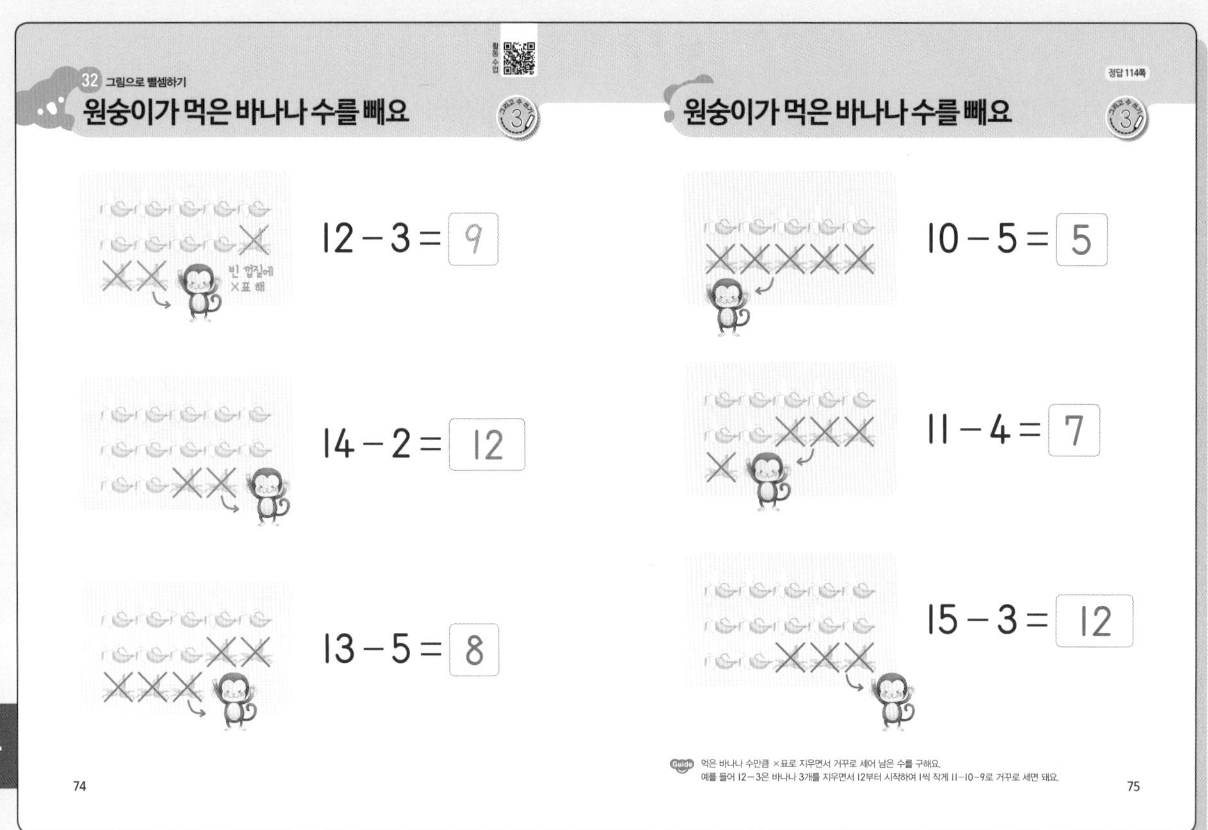

32 그림으로 뺄셈하기

원숭이가 먹은 바나나 수를 빼요

$12 - 3 = 9$

빈 옆길에 ×표 해

$14 - 2 = 12$

$13 - 5 = 8$

74

원숭이가 먹은 바나나 수를 빼요

정답 114쪽

$10 - 5 = 5$

$11 - 4 = 7$

$15 - 3 = 12$

Guide 먹은 바나나 수만큼 ×표로 지우면서 거꾸로 세어 남은 수를 구해요.
예를 들어 12−3은 바나나 3개를 지우면서 12부터 시작하여 1씩 작게 11−10−9로 거꾸로 세면 돼요.

75

76~77쪽

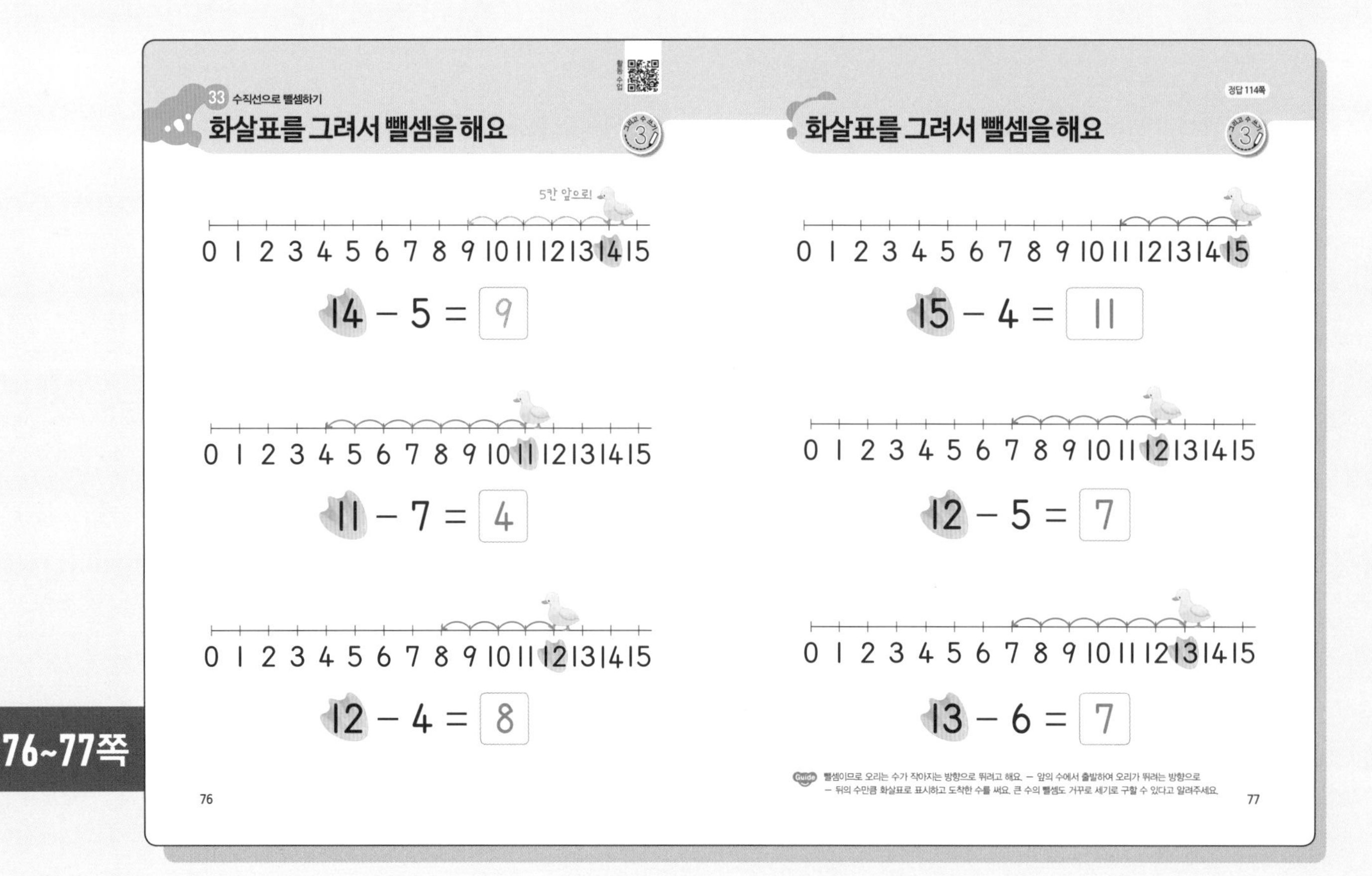

33 수직선으로 뺄셈하기

화살표를 그려서 뺄셈을 해요

5칸 앞으로!

0 1 2 3 4 5 6 7 8 9 10 11 12 13 14 15

$14 - 5 = 9$

0 1 2 3 4 5 6 7 8 9 10 11 12 13 14 15

$11 - 7 = 4$

0 1 2 3 4 5 6 7 8 9 10 11 12 13 14 15

$12 - 4 = 8$

76

화살표를 그려서 뺄셈을 해요

정답 114쪽

0 1 2 3 4 5 6 7 8 9 10 11 12 13 14 15

$15 - 4 = 11$

0 1 2 3 4 5 6 7 8 9 10 11 12 13 14 15

$12 - 5 = 7$

0 1 2 3 4 5 6 7 8 9 10 11 12 13 14 15

$13 - 6 = 7$

Guide 뺄셈이므로 오리는 수가 작아지는 방향으로 뛰려고 해요. − 앞의 수에서 출발하여 오리가 뛰려는 방향으로
− 뒤의 수만큼 화살표로 표시하고 도착한 수를 써요. 큰 수의 뺄셈도 거꾸로 세기로 구할 수 있다고 알려주세요.

77

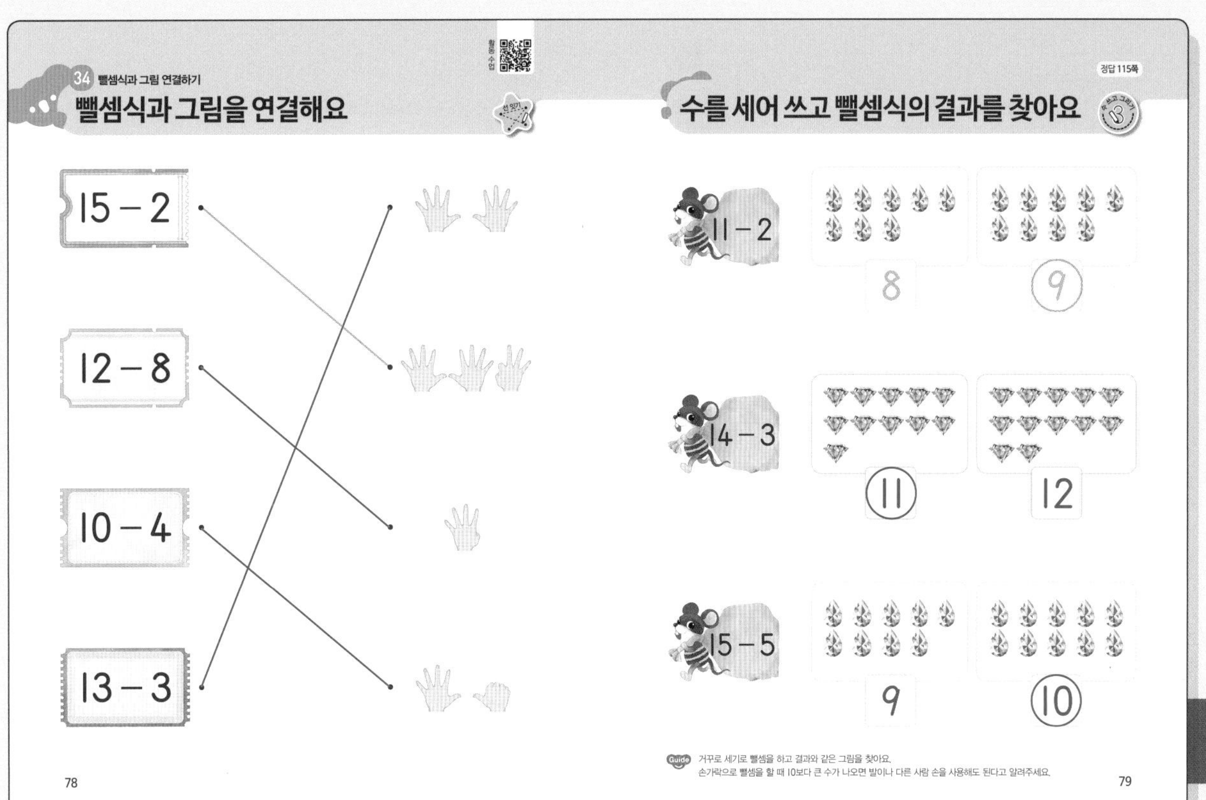
34 뺄셈식과 그림 연결하기
뺄셈식과 그림을 연결해요
15 − 2
12 − 8
10 − 4
13 − 3
정답 115쪽
수를 세어 쓰고 뺄셈식의 결과를 찾아요
11 − 2
8
9
14 − 3
11
12
15 − 5
9
10
거꾸로 세기로 뺄셈을 하고 결과와 같은 그림을 찾아요.
손가락으로 뺄셈을 할 때 10보다 큰 수가 나오면 발이나 다른 사람 손을 사용해도 된다고 알려주세요.
78
79

78~79쪽

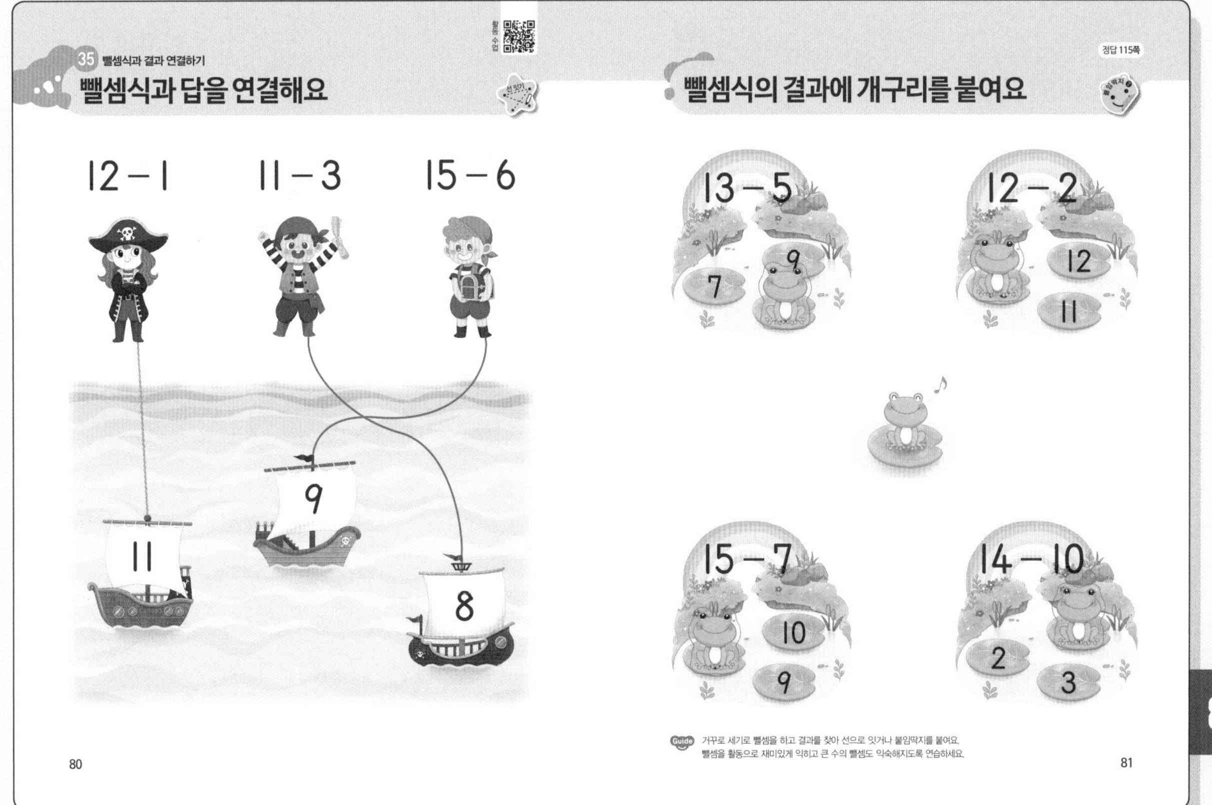
35 뺄셈식과 결과 연결하기
뺄셈식과 답을 연결해요
12 − 1
11 − 3
15 − 6
9
11
8
정답 115쪽
뺄셈식의 결과에 개구리를 붙여요
13 − 5
9
7
12 − 2
12
11
15 − 7
10
9
14 − 10
2
3
거꾸로 세기로 뺄셈을 하고 결과를 찾아 선으로 잇거나 붙임딱지를 붙여요.
뺄셈을 활동으로 재미있게 익히고 큰 수의 뺄셈도 익숙해지도록 연습하세요.
80
81

80~81쪽

4과정 20까지의 셈

84~85쪽

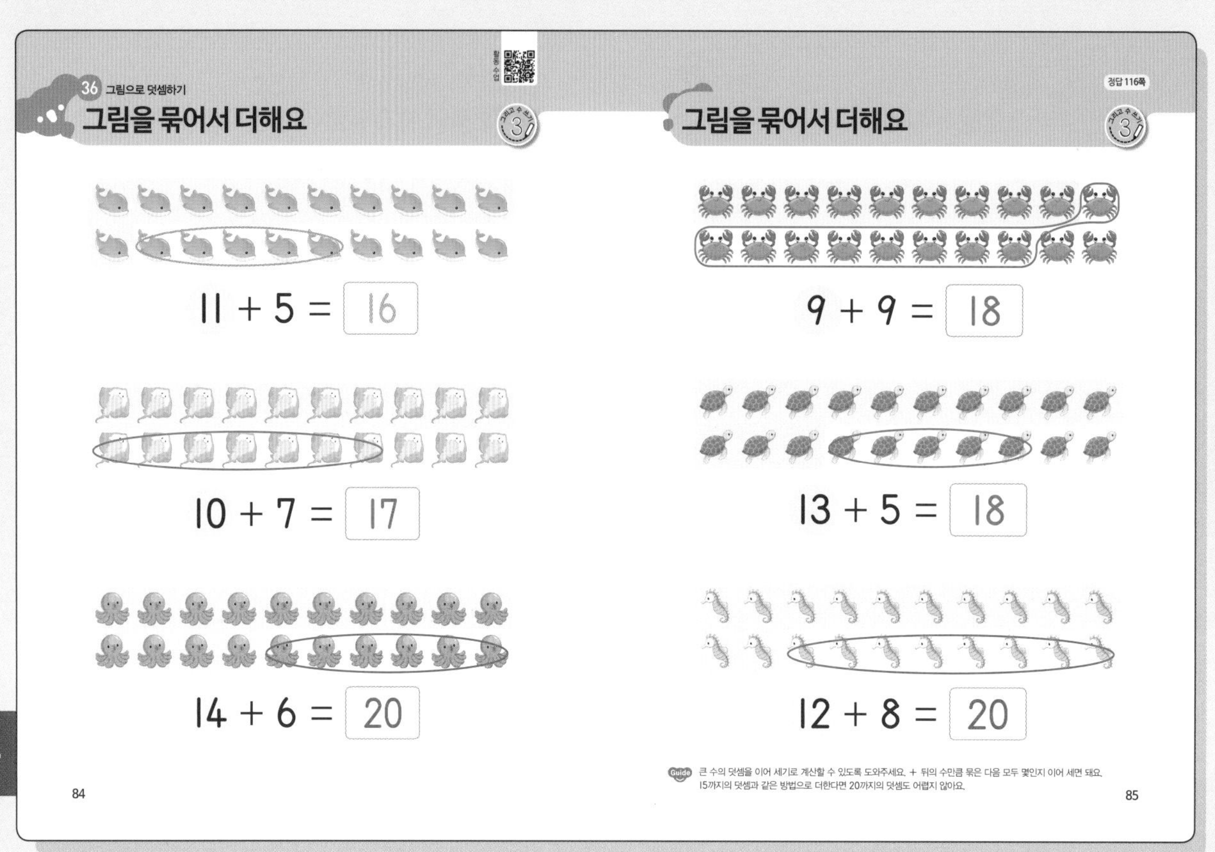

36 그림으로 덧셈하기

그림을 묶어서 더해요

11 + 5 = 16

10 + 7 = 17

14 + 6 = 20

그림을 묶어서 더해요

정답 116쪽

9 + 9 = 18

13 + 5 = 18

12 + 8 = 20

Guide 큰 수의 덧셈을 이어 세기로 계산할 수 있도록 도와주세요. + 뒤의 수만큼 묶은 다음 모두 몇인지 이어 세면 돼요. 15까지의 덧셈과 같은 방법으로 더한다면 20까지의 덧셈도 어렵지 않아요.

84 85

86~87쪽

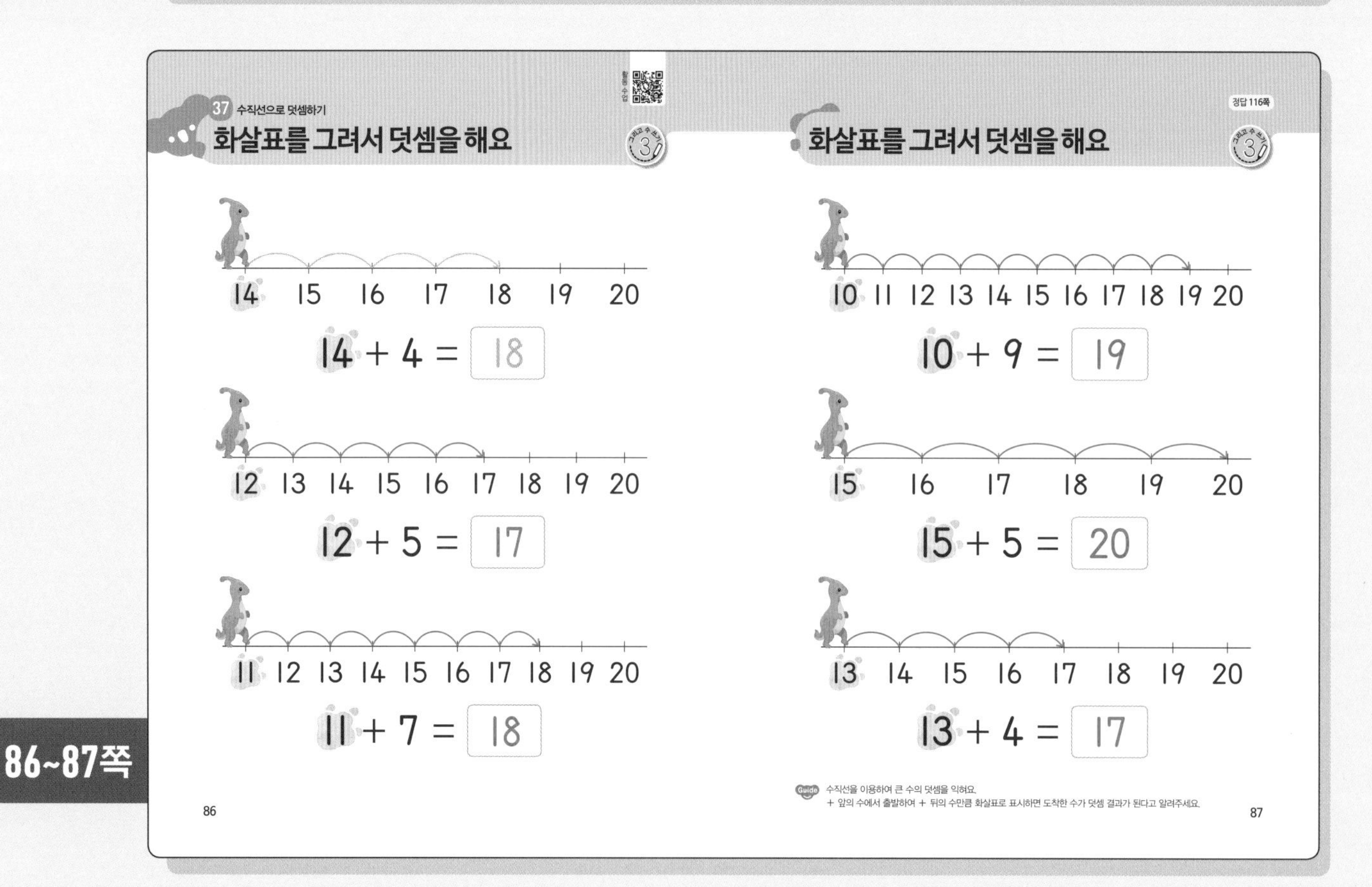

37 수직선으로 덧셈하기

화살표를 그려서 덧셈을 해요

14 15 16 17 18 19 20

14 + 4 = 18

12 13 14 15 16 17 18 19 20

12 + 5 = 17

11 12 13 14 15 16 17 18 19 20

11 + 7 = 18

화살표를 그려서 덧셈을 해요

정답 116쪽

10 11 12 13 14 15 16 17 18 19 20

10 + 9 = 19

15 16 17 18 19 20

15 + 5 = 20

13 14 15 16 17 18 19 20

13 + 4 = 17

Guide 수직선을 이용하여 큰 수의 덧셈을 익혀요.
+ 앞의 수에서 출발하여 + 뒤의 수만큼 화살표로 표시하면 도착한 수가 덧셈 결과가 된다고 알려주세요.

86 87

활동 수업

38 잘못된 덧셈식 찾기

틀린 답을 찾아요

그리기

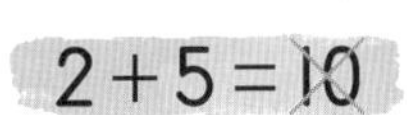

2 + 5 = 10 (×)

16 + 3 = 19

12 + 6 = 18

7 + 5 = 11 (×)

4 + 9 = 15 (×)

10 + 10 = 20

정답 117쪽

채점을 하고 맞은 개수를 써요

덧셈 공부

맞은 개수 3 개

(1) 3 + 4 = 5 (✓)

(2) 9 + 1 = 10 (○)

(3) 11 + 5 = 16 (○)

(4) 14 + 3 = 17 (○)

(5) 8 + 10 = 19 (✓)

Guide 덧셈식이 맞는지 틀린지 확인하며 덧셈을 자연스럽게 할 수 있도록 연습하세요.

활동 수업

39 그림으로 뺄셈하기

그림을 지워서 빼요

16 − 4 = 12

17 − 8 = 9

18 − 3 = 15

정답 117쪽

그림을 지워서 빼요

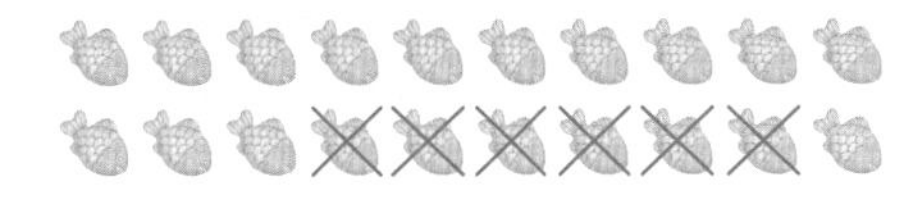

19 − 6 = 13

15 − 10 = 5

20 − 9 = 11

Guide 큰 수의 뺄셈을 거꾸로 세기로 계산할 수 있도록 도와주세요. − 뒤의 수만큼 ×표 하고 남은 수를 세거나, ×표 하면서 거꾸로 세면 돼요. 15까지의 뺄셈과 같은 방법으로 빼면 20까지의 뺄셈도 어렵지 않아요.

4과정 20까지의 셈

92~93쪽

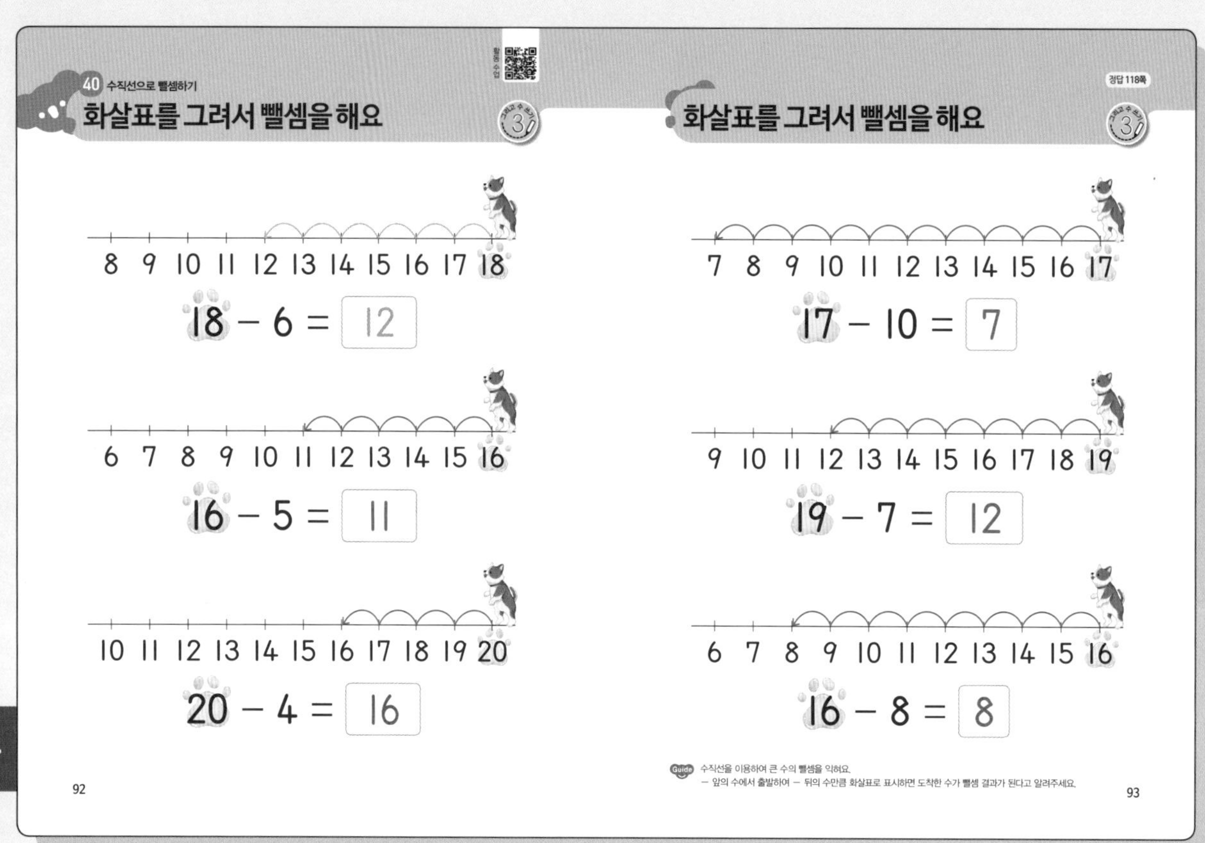

94~95쪽

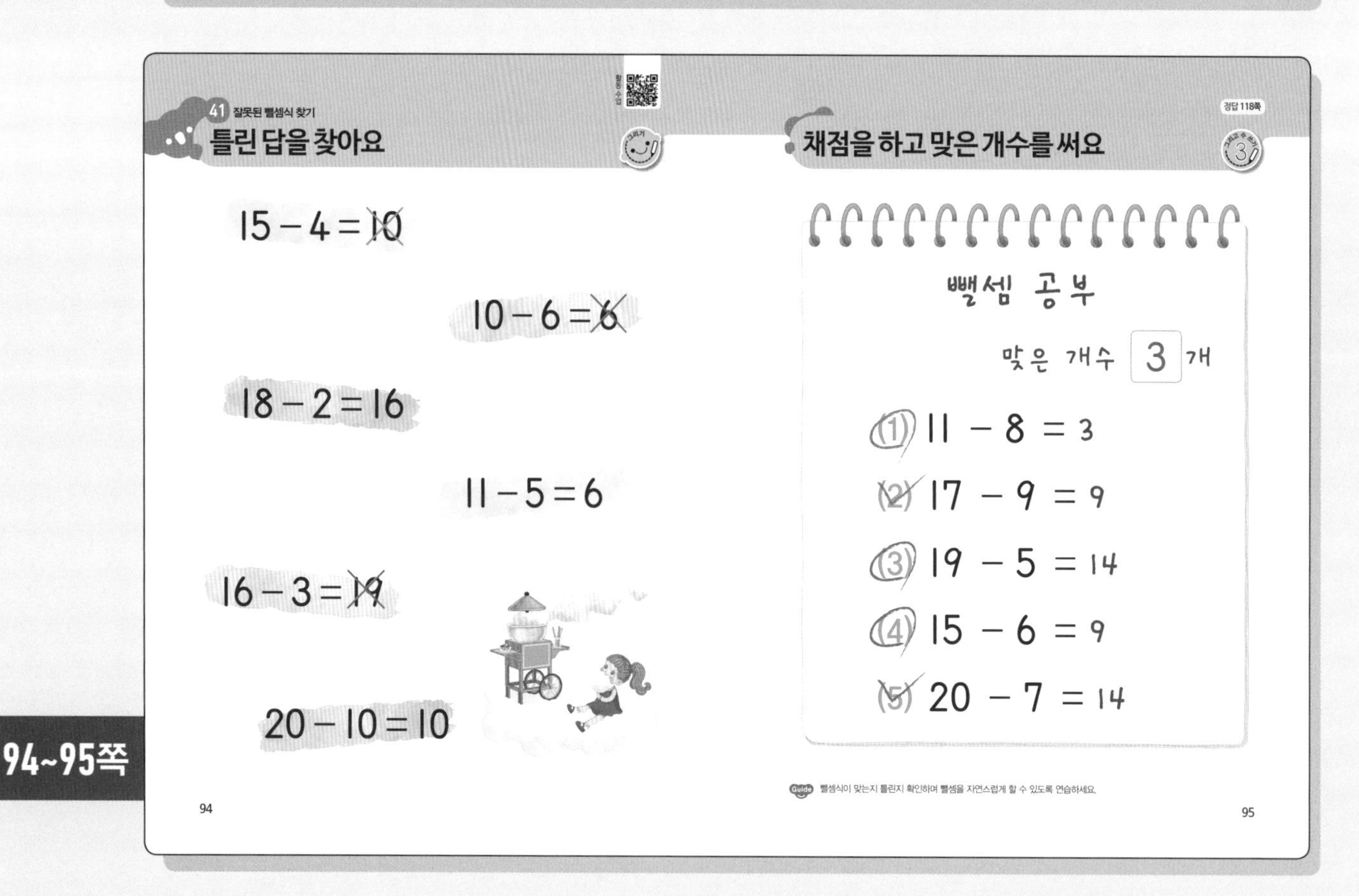

메모

메모

상장

셈이 쑥쑥 상

이름 ______________________

위 어린이는 6세 초능력 첫걸음 수와 셈

2단계를 훌륭하게 마쳤습니다.

이에 칭찬하여 이 상장을 드립니다.

년　　월　　일

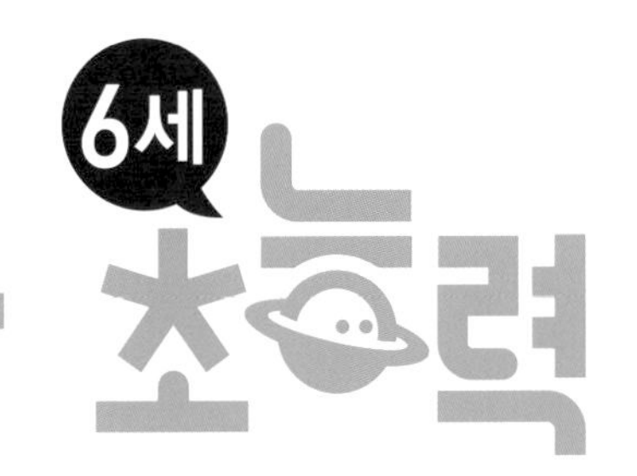